できるビジネス

AI

技術動向と事例に学ぶ
新たな価値を生成する
攻めの戦略

ビジネス
チャンス

荻野 調　　　小泉信也
久保田隆至　　大塚貴行　著

デロイト トーマツ コンサルティング合同会社　監修

インプレス

生成AIをビジネスチャンスに

本書を手に取っていただきありがとうございます。

令和の生成AIブームのさなか、AIのニュースを聞かない日はありません。このまえがきを書いているまさにいまも、OpenAIとAppleとの提携のニュースが舞い込んできました。

生成AIのビジネスへの応用も、以前のRPAなどの普及スピードを凌駕し、かつてないほどの速さで浸透しています。単に生成AIを利用するユーザーから自社サービスや商品への搭載を進めている企業まで、日本でも多く見受けられるようになりました。

では、ビジネスにおけるAI活用に必要な知識とノウハウは具体的にどういったものになるのでしょうか？

製造業の営業マンにとっては？　あるいは流通業の管理部門マネージャーにとっては？　そういったニーズに応えたいと、大手コンサル企業に籍を置く筆者一同で話が出たのが、本書執筆のきっかけでした。

本書では、ビジネスパーソンに必要とされる業種別・業務別のAI活用に焦点を当てています。

第4章および第5章では、現在の活用事例や導入効果を中心に解説しています。第6章ではスタートアップのビジネスを中心に新しいAIビジネスを紹介し、第7章では未来への動きを短中長期にわたって予測しています。具体的な活用例を知りたい方は、ぜひお読みいただきたいと思います。

一方で、業務へのAIの導入を具体的に検討していくためには、開発会社やSIerとの会話も必要になります。ノンエンジニアでも知っておくべき情報も本書では網羅しています。AIのパラダイムシフトを第1章にて、AIの基礎知識や主要プレイヤー、技術的な基礎解説を第2章および第3章にて解説しています。

生成AIは文字通り日進月歩の領域です。玉石混交の情報がネット上にあふれている時代だからこそ、本書ではビジネスの現場に身を置く皆様に、真に必要とされる情報を厳選してまとめ、新規事業立ち上げや事業開発の専門家、製品開発やサービス立ち上げの専門家として執筆いたしました。

本書を通して、皆様のビジネスにおける現状整理や、いまやるべきこと、将来の布石への示唆が得られることと思います。

2024年6月

荻野 調／小泉 信也／久保田 隆至／大塚 貴行

CONTENTS

Chapter 4 ［業界別］AIの活用動向＆効率化シミュレーション　　119

Chapter 5 [目的別] 生成AIの活用事例   147

Chapter 6 生成AIによる新たな価値創出   193

Chapter 7 生成AIの潮流を知りビジネスを加速する　223

1

生成AIがもたらすパラダイムシフト

本章では、いまAIに何が起きているかを解説し、今後のパラダイムシフトが私たちの仕事や生活に与える影響を考察します。
生成AI時代にビジネスチャンスをつかむために必要となる5つのスキルと、知っておくべき10大リスクについても取り上げます。

いま「AI」に何が起きているのか

▶ 普及と知名度が高まる生成AIのいま

　2023年は生成AIの普及に伴って、現実世界での利活用が大きく進化した年でした。既存業界への深い浸透から未知の領域への進出まで、AIの足跡は急速に拡大し、デジタルとリアルの境界線を曖昧にしています。実は、**生成AIのベースとなるアイデアはすでに2010年代から**ありましたが、2022年の夏にStable DiffusionやMidjourneyなど画像生成AIが話題になり、2022年秋にリリースされたOpenAIの文章生成AI、ChatGPTによって一気に一般認知を得るにいたりました。

　図表1-1-1と図表1-1-2は日本と米国におけるOpenAIのWebサイト（図表1-1-2はChatGPT）へのアクセス数の推移です。縦の目盛りはセッション数（訪問回数）ですが、これを見ると**ChatGPTに対する関心の急上昇**ぶりがよくわかります。

図表1-1-1 日本からのOpenAIのWebサイトへのアクセス数推移（日次）（2022年12月1日〜2023年4月30日）

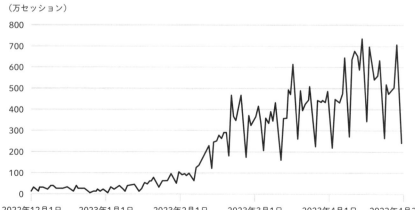

（万セッション）

出典：野村総合研究所「日本のChatGPT利用動向（2023年4月時点）」をもとに筆者作成

　画像生成AIにはさほど興味がなかった層も、ChatGPTには大きな関心を抱いたのです。ChatGPTの登場は、人々にとても大きなインパクトを与えました。

　「AIなんて随分前から知っているし使っているよ」という人も多かったでしょう。しかしそんな人でも、ChatGPTを触った瞬間に「これはイケてる」と感じたのではないでしょうか？　そうなのです。**AIテクノロジーに詳しくない人でも十分活用法が想像できる**。それこそが、ChatGPTがもたらした衝撃なのです。

図表1-1-2 米国からのChatGPTへのアクセス数推移（月次）（2022年12月～2023年5月）

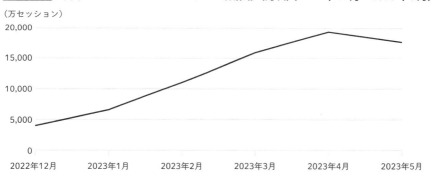

（万セッション）

出典：digwatch「ChatGPT and Competing Sites Monthly Visits Desktop & Mobile Web US」をもとに筆者作成

▶ いまAIに起きている8つの変化

　いま「AI」に起きている変化、変革について、以下8つを列挙します。1つずつ見ていきましょう。

図表1-1-3 生成AIに起きている8つの変革

①AIの民主化	⑤倫理への対応
②ハイパーパーソナライゼーション	⑥SDGsへの提言
③自動化の進化	⑦説明可能なAI
④組み込みAIの普及	⑧生成AI（ジェネレーティブAI）が中心に

①AIの民主化

　生成AIよりも前のAIは、Amazonなどでの注文履歴や同一ユーザーセグメントの購買履歴に基づいたおすすめであれ、Facebookで登録した顔写真からの「友達かも」であれ、基本的にはユーザーが思う使い方ではなく「サービス提供者側が想定した使い方」を「サービス提供者が想定した方法で提供するAIエンジン」でした。AIを実装できるプログラマーはいたものの、**多くの人にとってAIは能動的に自分で使うものではなく、利用サービスを通して受動的に与えられるものであった**といえます。

　しかし、ChatGPTをはじめとした生成AIの登場はこれに変化をもたらしました。あらゆる規模の企業や個人にとって、AIが身近なものになるツールやプラットフォームが登場してきたのです。たとえば、マウスで簡単に操作できるクラウドベースのAIサービス、特定のタスク向けに事前トレーニングされたモデル、ノンプログラマーでも業務アプリを開発できるローコード／ノーコード開発ツールは、ITエンジニアリング領域に対するエントリー障壁を下げ、非エンジニアでもAIを活用できるようにしました。この「AIの民主化」の流れはイノベーションを促進し、ユーザーの多様なニーズに合わせたさまざまなAIソリューションの急増につながっています。

②ハイパーパーソナライゼーション

　これまでもAIは膨大なデータを分析する能力により、パーソナライゼーション（個々人向け最適化）を実現していました。ECサイトで類似したユーザーの購買履歴を使って、個人の好みや購入履歴に基づいた商品を推薦するのはよく知られています。

　生成AIによって、これまでのパーソナライゼーションを超える、**ハイパーパーソナライゼーションが実現**します。たとえば、医師は患者のさまざまな症状に合わせて治療計画を調整し、教育機関は一人ひとりを成功に導くために最適化された教育プログラムを提供しています。このようなカスタマイズは顧客満足を向上し、顧客ロイヤリティを育み、さまざまな業務分野での成果をもたらします。

③自動化の進化

　すでにAIの中核機能であった自動化はさらに進化しています。RPA（ロボティック・プロセス・オートメーション）ボットは反復作業を以前よりも効率的に処理し、IA（インテリジェントオートメーション）はRPAと機械学習を組み合わせ、より複雑な意思決定プロセスを処理できるようにしました。この自動化の流れは業務を効率化し、コストを削減することで、人間をより付加価値の高い作業へと解放しました。

④組み込みAIの普及

　AIとロボット工学、物理デバイスとの統合が加速し、自動運転車、スマートホーム、産業オートメーションなどの分野が進歩を遂げました。このような物理デバイスに組み込まれたAIを「組み込みAI」といいます。自動運転車は複雑な交通状況を分析して車両をナビゲートし、スマートホームは住宅設備の快適さと安全を家族の嗜好性に合わせてパーソナライズすることを学び、AI搭載ロボットは工場の現場で人間と協働することで、生産性と安全性を向上させました。

⑤倫理への対応

　AIの活用が広がるにつれ、**バイアス（先入観、偏見）、透明性、説明責任に関する懸念**が高まっています。訓練データのバイアスは差別的な結果につながる可能性があり、一部のAIアルゴリズムの中身がわからない「ブラックボックス」的性質は、説明可能性と意思決定の透明性に関する懸念を提起しています。責任あるAI開発と展開を確保するための倫理的枠組みと規制を求める声が強まっています。

⑥SDGsへの提言

　AIの分析力と問題解決力は、重要な環境問題に対処するために活用されています。AIを搭載したアプリケーションは、建物単位や地域単位（スマートグリッド）でのエネルギー消費を最適化し、また、他のシステムは衛星データを分析して森林破壊を監視し、自然災害を予測します。これらのアプリケーションは、AIが環境維持を考慮し、より持続可能な未来に貢献する可能性を示しています。

⑦説明可能なAI

　⑤で述べた説明可能性の観点から、研究者や開発者は「説明可能なAI（Explainable AI：XAI）」に多額の投資を行っています。この技術が進むことで、AIモデルがどのようにして意思決定にいたるのかを明らかにするツールやアルゴリズムが登場し、開発者はシステムを改善して洗練させることができ、ユーザーは予測の背景を理解できます。XAIは、人間のAIに対する信頼を構築し、AIの幅広い受け入れを促進するうえで大きな可能性を秘めています。

⑧生成AI（ジェネレーティブAI）が中心に

よく知られているChatGPTのような大規模言語モデル（Large Language Models：LLM）だけでなく、画像やビデオの生成、プログラムコードまで、新しいコンテンツを生み出すことができる生成AIモデルは、世界中の注目を集めました。

生成AIは創造的な表現のハードルをぐっと下げ、製品デザイン、マーケティング、エンターテイメントなどの分野でイノベーションを促進しています。しかし潜在的な悪用や誤情報の拡散に対する懸念から、責任ある開発と展開が必要とされています。生成AIが社会に浸透するにつれ、新しい課題やソリューションなどの展望も明確になってきます。そこで、生成AI関連技術の展望の参考になるのがハイプサイクルです。ハイプサイクルは、特定の技術の成熟度、利用状況、社会への適用度を示すグラフです。

生成AIのハイプサイクルにおける認識は、調査会社や識者によって若干異なりますが、ここでは調査会社ガートナーのものを紹介します。

ハイプサイクルには次ページの5つのフェーズがあります。これらの5つは、図表1-1-4の上部に示した番号に対応しています。

図表1-1-4　生成AIのハイプサイクル（2023年）

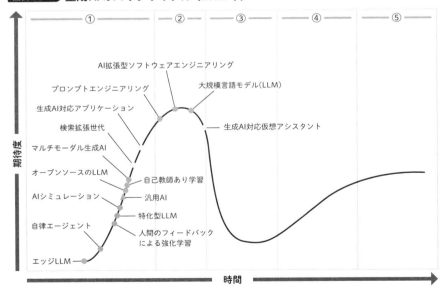

出典：Gartner「生成AIのハイプ・サイクル：2023年」をもとに筆者作成

①**黎明期（イノベーションのトリガー）**：新しいテクノロジーが発表され、大きな関心を集める最初の段階。多くの場合、誇大広告と期待が伴う

　・エッジLLM（携帯などの端末にてLLMを実行できるようにする技術）

　・自律エージェント（人間の手助けなく自己判断して動作するプログラム）

　・AIシミュレーション（とくに自然界の挙動のシミュレーション）

　・マルチモーダルな生成AI（46ページ）

②**ピーク期（過度な期待のピーク）**：メディアと業界アナリストがテクノロジーについて大いに宣伝することで注目が高まり、期待は非現実的に高くなる可能性がある

　・プロンプトエンジニアリング（66ページ）

　・AI-SWエンジニアリング（ソフトウェア開発における半自動化（158ページ））

③**幻滅期（幻滅の谷）**：テクノロジーは初期の過度な期待に応えられないことが判明。多くの場合、興味と投資が失われる

④**啓発期（一般への普及）**：テクノロジーの具体的な利点が理解され始め、パイロットプロジェクトと実証実験が行われる

⑤**安定期（恒常的な利用）**：テクノロジーが広く採用され、主流になる。テクノロジーは成熟し、理解されるようになり、生産性の向上をもたらす

　筆者自身の認識としては、生成AIは登場間もないものの**先進的な企業では幻滅期を超えて現実に利用するフェーズに進んでいる**と考えています。夢を語るように何にでも使えるとか、何でも実現できるとかではない一方で、すでに上手に業務利用している企業が増えており、とくにコストダウンの観点からの成功事例が多く報告されるようになってきました。

Point

　米国のような高所得国では、PCやスマートフォンの普及率に加えてITリテラシーも高いため、一般人によるAIの使用が大幅に普及するまで1〜2年しかかからないと思われます。発展途上国でも3年以内に同等レベルの使用が見られると予想しています。生成AIが一般に浸透するまでそう多くの時間はかからないでしょう。

 生成AIは急速に一般へと浸透する

人間の生産性と創造性を拡張する

▶ 画像や音声を起点に生成AIは新たな機能を開拓

生成AIがもたらしたパラダイムシフトは、私たちにどんな影響をおよぼすでしょうか？

大規模言語モデルは、人間が残してきた多くの文章を学習することで、人間と同様の文章を生成できます。たとえば、同僚や同級生が言っていそうなことをAIが出力するようになり、また、検索エンジンの代わりとしても使えるようになりました。

ここで重要なのは、生成AIは概念を含めた理解まではしていない、ということです。「それっぽいこと」を予測して、最も適切な「それ」をAIが選択した結果、そのアウトプットを見た人が、人間っぽさを感じているに過ぎないのです。

では、概念を理解をしていないAIに価値がないかというと、そんなことはありません。画像認識や音声認識など、これまで多くの機能にAIが使われてきたように、生成AIにはまだまだ新たな可能性があります。正解に近いと感じさえすれば正解かどうかまでの確証を必要としない作業においては、人間の代替を務めることが可能です。ゆえにこの生成AIには、ビジネスリーダーからの熱い視線が集まっているのです。

ここから19ページまで、生成AIがもたらしつつある変化の事例をいくつか見ていきましょう。

図表1-2-1 文字からイメージをつくり上げる生成AI

① 「dog surfing」と入力

②サーフィンをする犬の画像を生成AIが自動作成

GENERATED BY niji・journey

◀ 画像生成AIでは、指示を入力するだけでそのような画像が自動的に生成される。この画像は「dog surfing」と入力して、画像生成AI（niji・journey）に作らせた例

▶ 誰でもクリエイティブな作業が可能になる

　一般的にもよく知られている生成AIの使用用途は文章作成や画像生成です。専門スキルを持っていない人であっても文章の言い回しを変えたり長文の要約をしたり、いろいろな加工が簡単にできるようになりました。これによって「にわかコピーライター」が増えました。

　たとえば執筆などは、その道の専門家でなくともChatGPTを使いこなすことで、ストーリー構築や原稿生成が簡単にできます。著作作業を短時間で行うことも可能になり、Amazonでは**生成AIで作られた自費出版本**なども見受けられるようになりました。まさに「にわか執筆者」の増加といえるでしょう。

　二次創作を含む同人誌でも、生成AIによる作品が増えました。たとえばイラストであれば、線画からすべてを描くこれまでの手間と比べ、言葉で指示した通りにクオリティの高い画像がつくれる生成AIは、はるかに簡単です。

　さらには、専門職でも同様に利用が浸透しています。コピーライティングの事例として、生成AIによって制作したことを公表している伊藤園やauの広告があります。また文芸の世界では、**芥川賞に選ばれた『東京都同情塔』で、著者の九段理江さんが生成AIを駆使して執筆**したことを明らかにし、大きな話題となりました。

　アニメや映画の現場でも生成AIの利用は浸透し始めています。とくにオリジナリティよりも数やバリエーションが求められる背景画の制作は、作業に手間がかかっていたため重宝されています。近年のアニメ制作本数の増加と人材不足もあり、必要性が高かったことも後押ししたといえます。

図表1-2-2　人間に代わってコピーライティングする

● You
「サーフィンをする犬」に皆が驚くようなキャッチフレーズをつけて

● ChatGPT
「波に乗るワンダー犬！サーフィン界の新星が登場！」

▲文章生成AIでは、指示を入力するだけでリクエスト通りの文章などが生成される。上のイメージは、「『サーフィンをする犬』に皆が驚くようなキャッチフレーズをつけて」と入力した生成例

人間の健康増進、
教育促進を加速する

▶ 医療分野における生成AI活用 ～創薬の支援など～

　抗生物質は感染を終結させる魔法のような能力を持っていますが、あまりに頻繁に使用すると、病原菌が抗生物質に対抗する力を得てしまうことがあります。これは薬剤耐性（AMR）と呼ばれ、世界中、とくにAMRによる死亡率が最も高いアフリカで大きな問題となっています。ガーナのオーラム研究所では、AMRを引き起こすことなく抗生物質を処方できるようにするAIツールの開発に医療従事者が取り組んでいます。このツールは、**その地域で現在どの病原体が耐性を発現するリスクがあるかについての地域の臨床ガイドラインや健康監視データなど、利用可能なすべての情報を精査し、最適な薬剤、投与量、期間を提案**します。

　この創薬に関する研究は従来から行われていますが、その分子構造式は文字列で表記することが可能です。構造式が似ているものは物質的特性が近いことが多く、また同時に分子1つの差が特性の違いをもたらしていることも知られています。これらの情報を生成AIに学習させることで、潜在的に効果がある構造式を出力することが可能になっています。

▶ 医療分野における生成AI活用 ～アドバイザーの役割～

　エイズを引き起こすHIVの広がりは、発展途上国ではいまなお深刻な状況です。性行為や薬物注射をおもな感染源とするため、多くの人にとって相談しづらい疾患の1つといえますが、感染経路に関する情報は、病気のリスクを評価し、予防治療を処方するために非常に重要です。

　南アフリカのヨハネスブルグにある健康科学の研究機関Wits Health Consortiumでは、この課題を解決するためにHIVリスクを評価するAIチャットボットを開発しました。この**チャットボットは偏見のないカウンセラーのような役割を果たし、24時間いつでも必要なときにアドバイスを行います**。とくに疎外され弱い立場にある

人々、つまり予防ケアを求める際に偏見や差別に直面することが多い人々を念頭に置いています。この革新的なアプローチは、より多くの人々が自分自身のリスクを理解し、身を守るための行動を起こすのに役立つ可能性があることを示唆しています。

▶ 教育分野における生成AI活用 ～すべての生徒に家庭教師を～

　教育分野でも生成AI活用は進んでいます。ここでは、その具体的なケースとして、教育のハイパーパーソナライゼーションを紹介します。

　非営利組織であるカーンアカデミーは、従来から世界中の誰もが利用できる無料のオンライン学習教材を提供していましたが、OpenAIのGPT-4を組み込み、**学習者個人個人に最適化したAIチューター**「Khanmigo」をリリースしました。このツールの特徴は単純に質問に答えるのではなく、ヒントを与えて自分で答えを導くように促すことです。ChatGPTなどの学習利用では、問題の答えを直接聞き出せてしまうことが課題でしたが、Khanmigoではそれを解決したのです。また、こういったサービスはどこに住んでいても関係なくローカライズできるため、教育格差を解消できる可能性も秘めています。他にも数学に特化したCarnegie Learningの「MATHia」、Kytabu Africaの「Somansi」など、さまざまなサービスがあります。

図表1-2-3　医療分野、教育分野におけるその他の生成AI活用事例

	サービス名	測定方法
医療分野	MediSearch	信頼できる情報源に基づいて医療上の質問に直接回答
	Ankr	生成AIを使用し、フロントデスクや医療アシスタントの医療スタッフの機能を提供
	Chief.AI	腫瘍学プロトコルに基づいて治療プログラムを作成
	GenHealth.ai	健保向けリスク管理、不正行為の検出、請求処理の精度と効率の向上
教育分野	Duolingo	語学学習アプリ。ゲーム感覚で学習のモチベーションを保つ仕組みを提供
	ChatClass	教育者や学生、英語のネイティブスピーカーを結び付ける会話学習プラットフォーム
	MathGPTPro	AIを使用して生徒の学習と教師の生産性を向上させる、パーソナライズされた学習プラットフォーム
	Kalam Labs	インド初の子供のための宇宙組織として、宇宙問題の解決を競うゲームアプリなどを提供

人間の仕事を淘汰し、創出する

生成AIは人間から仕事を奪うのか？

新しいテクノロジーがブームになるたびに「人間の仕事が奪われるのではないか？」という議論が沸き上がります。ここまで見てきたことからもわかるように、生成AIはまさに人間に成り代わってさまざまなタスクをこなします。

求人サイトIndeedの関連チームが2023年9月に発表したレポートによれば、Indeedに掲載されているすべての求人が生成AIの影響を受ける可能性があるが、**仕事の在り方が大きく変わるのは全体の2割程度**、とのことです。生成AIの影響が少ないのは直感や手作業が必要とされる仕事で、影響を大きく受けるのはソフトウェア開発だとされています。なお、AIサービスを展開するTidioが2024年に米国の学生を対象に行った調査では、**68.5％の人がAIに自分の仕事を奪われると考えている**ことが明らかになりました。

図表1-2-4 AIはあなたの仕事を奪う？ 米国の大卒者のAIに対する意識

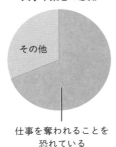

大学卒業者の意識

その他

仕事を奪われることを
恐れている
68.5%

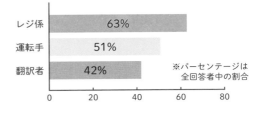

AIに取って代わられる可能性が非常に高い3つの職業

レジ係	63%
運転手	51%
翻訳者	42%

※パーセンテージは
全回答者中の割合

0　　20　　40　　60　　80

出典：Tidio「Will AI Take Your Job? Fear of AI and AI Trends for 2024」をもとに筆者作成

▶ 消える仕事、生まれる仕事

　生成AIの登場によって新たに生まれた職種もあります。2023年に初の生成AIの広告キャンペーンをリリースしたコカ・コーラは同年6月に、「生成AIおよびマーケティングAIにおけるグローバル責任者」という新たに設けた役割に幹部2名を昇進させ、新技術への取り組みを示しました。グローバル最高マーケティング責任者であるマヌエル・アロヨは「コカ・コーラは、チームの日常業務における生成AIツールの導入を促進する役割を確立した」と述べています。

　消える仕事もあれば生まれる仕事もある。これは産業革命に遡らずとも何度となく繰り返されてきたことですが、生成AIについても同様の動きがあるといえます。つまり、生成AIによって代替できる業務において、人間の必要性が減少することは明らかでしょう。

　カスタマーサポートやチャットサポートといった対顧客対応業務は元来、コストが高いにもかかわらず従業員満足度や顧客満足度が低く、悩みの種でした。チャットボットの登場によって定型応対は半自動化されてきていましたが、生成AIの登場によってほぼ自動応答が可能になりました。**AIは24時間365日、文句も言わず気を病むこともなく、企業単位で見ればわずかなサーバー代のみで働き続けます。**経営者にとっては夢のツールであり、たとえまだ未採用であっても、今後の人員削減を見込んですでに米国で顧客対応業務は、AIによるレイオフのターゲットとなっています。

Point

　一般化して考えるならば、一見専門知識が必要に思えるものであっても、採用後の教育期間が短くても成り立つ業務は、インプットデータが少なく済むため、AIに代替されやすいといえます。実際、専門領域に特化したLLMも開発されています。

　人間としての付加価値がない業務はAIに代替されるとしばしばいわれますが、実際問題として、知識や経験、人間的判断、唯一無二のオリジナリティなどを含まない業務は、少なくともエントリー部分についてはAIによる代替可能性が高いでしょう。

 　基本的な業務はAIに容易に代替されうる

生成AI時代に必要な5つのスキル

図表1-3-1 生成AIリテラシーを育むために必要なこと

①技術的熟練度
②創造性
③横断的で専門性の高い知識
④倫理的意識
⑤適応性と生涯学習

▶ 新時代に求められるスキルとマインドセット

　生成AIによる前例のない技術的変革の時代を生き抜くためには、個人は独自のスキルとマインドセットを育む必要があります。

①技術的熟練度

　人工知能、機械学習、深層学習、自然言語処理などの基礎的なAIの知識が必要になります。さまざまなAIモデルとアルゴリズムの長所と短所を理解することで、生成AIのポテンシャルと限界がわかるようになります。

　またAIはデータを学習して動作するため、**データに対するリテラシー**も必要です。データを効果的に収集し、AIが利用できる状態にするためのスキルを磨きましょう。

　加えて、近年の教育科目として必修となっている**プログラミングスキル**、とくにPythonなどのプログラミング言語の習得もプラスとなるでしょう。AIツールとの対話、基本モデルの構築、データ分析が可能になります。

②創造性

　物事を多角的に検討する「**批判的思考**」も役に立ちます。問題解決に新鮮な視点で取り組み、型にはまらない思考で革新的なソリューションを生み出せます。

　ストーリーテリング、魅力的な物語を紡ぐ能力は想像力につながり、さらに想像的なインプットはAIのアウトプットに影響を与えます。

③横断的で専門性の高い知識

1つの領域だけではなく、関連するさまざまな領域について深く理解する**「分野横断的専門知識」**が他者との差別化に大きな価値を持つようになります。アート、デザイン、サイエンス、ビジネスなど、さまざまな分野の知識を身につけることで、生成AIをどう活用すればよいかを業務や知識の側面から考えることができるようになり、カスタマイズされた生成AIの作成が可能となります。また、生成AIを活用するときに必要不可欠なプロンプトを作成するときにもこれらの知識は役立ちます。

④倫理的意識

バイアス（先入観、偏見）の検出が生じた場合の対処法、すなわち生成AIを活用する際の**「倫理的意識」**も重要です。バイアスがAIシステムにどのように潜り込むのかを特定し、緩和するには、倫理的意識が不可欠です。この意識は、AIモデルを説明可能なものにし、透明性を担保するためにも重要です。

また、AIは単に人間の作業を代替するものではなく、人間と協働するものとしての機会が増えるでしょう。そのときにはAIシステムとシームレスに連携するための、効果的なコミュニケーションとコラボレーションスキルが重要になります。

⑤適応性と生涯学習

AI分野は急速に進化しているため、**継続的な学習とスキルアップが不可欠**です。最新の進歩に遅れず、新しいツールや技術を試すことに積極的でありましょう。

また、適応性を持つことで、AIの持つ曖昧さと不確実さを受け入れ、変化する環境や予期せぬ課題に迅速に適応できます。実験や失敗でさえも貴重な学習機会として受け入れるべきです。

グローバルな視点も重要になります。AIのグローバルな影響と、その多様な文化やコミュニティへの影響の理解が必要です。それにより、④であげた倫理的意識も高まります。

これら5つのスキルとマインドセットを育むことで、生成AI時代のエキサイティングで複雑な状況を乗り越えるための術を手に入れることができます。未来は創造性、コラボレーション、責任ある革新を受け入れる人々のものです。学び、探求し、生成AIの力で世界を形作る準備をしましょう！

生成AI時代の社会課題を知る

▶ リスクと課題は通過儀礼に過ぎない

　生成AIにまつわる話題は、必ずしもポジティブなものばかりではありません。前述の「AIが仕事を奪う」以外にもさまざまな課題やリスクがあります。しかし、これらの課題やリスクは、かつてのパラダイムシフトと同様、**通過儀礼として受け入れるという認識が必要**です。

　ここでは、社会課題となりつつある電力問題を取り上げます。

▶ 人間の営みは大量のデータとなる

　いまや人間関係を形成するコミュニケーションの主軸はSNSに移ったといっても過言ではないくらい、多くの人たちがSNSを利用しています。それは、**私たちの言動がデータ化され、SNS企業のデータセンター内に蓄積されている**ことを意味します。

　データセンターという大規模な情報の貯蔵施設は、私たちがかつて身近に保管していたものをすべて詰め込んでおり、物理的にも小さな村ほどの広さがあります。同様にAIも膨大なデータを持っています。AIのデータセンターは処理能力が高いこともあって、従来のデータセンターよりも多くの電力を必要としています。

図表1-4-1 人間の営みがデータ化する

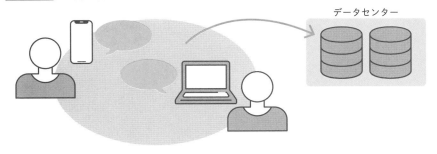

● AIは「電力を喰らう貪欲な生き物」

生成AIモデルのトレーニングには、GPU/TPUと呼ばれる特殊な半導体チップが使われます。これらのチップはマルチタスク処理に優れ、小さな半導体に多くの計算能力を詰め込んでいます。しかし、これらを大量に収納するAIデータセンターは、標準的なデータセンターと比較しても、より多くのエネルギーを消費します。従来のデータセンターはすでに一般的なオフィスビルの最大50倍のエネルギーを使用しており、これはアメリカの電力使用量の2%を占めています。生成AIのトレーニング専用のサーバーラックは、従来のサーバーラックの7倍ものエネルギーを必要とします。つまり、AIは**「電力を喰らう貪欲な生き物」**といえます。

一方で、AIは私たちユーザーからの需要があります。AIサービスに休暇の計画を立てさせたり、微積分の宿題を解いてもらったり、「映え」画像を作ってもらったりするときは、つねに**同じ結果が得られるWeb検索よりも多くの電力を消費**しています。生成AIツールを使用して1枚の高精細画像を作成するだけでも、携帯電話をフル充電するのと同じくらいのエネルギーを使用する可能性があるとする研究結果もあります。

2023年上半期、北米ではサーバースペースを他の企業に貸し出している一般的なデータセンター市場が25%増加し、データセンター建設の記録を樹立しました。Google、Microsoft、Amazon、Metaなどのハイテク大手は、独自のデータセンターを構築するために数十億ドルを費やしています。AIチップ大手NVIDIAのCEOであるジェンスン・フアンは、グローバル企業は今後4年間でデータセンターの増強に1兆ドルを費やし、構築すると予測しています。

生成AIの**便利さの裏側に、このような膨大な電力、そして特定の企業に依存するインフラリスクがある**のは間違いありません。

> ### Point
>
> 映画「2001年宇宙の旅」が公開された1968年では、AIはまだSFの世界だけのものでしたが、いまでは私たちの生活に欠かせないものになっています。パーソナライズされたSNSのタイムラインから自動運転車まで、生成AIは今後より一層の普及が進むと考えられています。そして、この強力なテクノロジーのなかに潜むリスクについての懸念の声も上がっています。次節ではこれらのポイントをあげていきます。
>
> **SFの夢やリスクが現実になりつつあります！**

生成AIが生み出す10大リスク

図表1-4-2　生成AIをめぐる10のリスク

①自動化による既存ビジネスへの影響
②アルゴリズムやデータのバイアス
　（偏重）
③監視社会
④AIの兵器化
⑤ブラックボックスのジレンマ

⑥超知能特異点
⑦人間性の浸食
⑧デジタルディバイド
⑨人間によるコントロールの喪失
⑩実存的倦怠感

①自動化による既存ビジネスへの影響

　前述の通り、**AIにより自動化された業務は人間を解放**します。とくに定型作業や反復作業などはAIが得意とする領域であるため、すでにAIによる代替は始まっています。工場のライン生産や倉庫におけるピックアップはますます機械化が進み、これまで人間の頭脳が必要とされてきたデータ分析業務でさえもAIアルゴリズムに取って代わられるでしょう。生成AIの利用頻度が高い欧米では、すでに失業理由に「AIへの代替」が登場しています。生成AIを利用した新しい仕事が生まれる一方で、一部の人にとっては困難と社会的不安に満ちたものになるでしょう。

②アルゴリズムやデータのバイアス（偏重）

　AIは人間が作ったものです。そのため、**作成者や集めたデータに偏り（バイアス）があると、AIの生成物にも偏りが生じます**。たとえばAIを組み込んだ人材採用ツールの場合、特定の人種や性別に偏重した採用を行う可能性があります。もちろん、多くのAIモデルは、そのようなバイアスが入り込まないように調整されています。それでもAIがより社会に浸透することで、差別的な結果を生み出す可能性があります。

③監視社会

　AIは生活に大きな恩恵をもたらす一方で、個人情報の漏えいやプライバシーの侵害などを生み出すおそれがあります。たとえば監視カメラの顔認識によって、個人の行動が追跡される可能性があります。また、Webサイトの閲覧履歴や購買履歴などが漏えいや目的外の利用がなされ、住所や趣味嗜好、思想などが**悪意あるユーザーの手に渡らないとも限りません**。政府や企業がこの情報を悪用し、反対意見を抑制し、行動を支配するなどということが起こらないとも限りません。

④AIの兵器化

　人を攻撃するようなアルゴリズムを搭載したドローン、戦場を徘徊する自律型戦車、AI兵士によるサイバー戦争など、これらはSF映画の話ではありません。すでに紛争地域では、ドローンによる**無人対人攻撃が現実のもの**となっています。

⑤ブラックボックスのジレンマ

　深層学習モデルのようなAIエンジンは、数学的には行列式に過ぎませんが、人間にとってはブラックボックスです。医療、金融、さらには刑事司法などの重要な決定においては、人間の理解がおよばないこともあります。**理解できないアルゴリズムをどのようにすれば信頼できるのか**というジレンマがあります。

⑥超知能特異点

　AIが人類の脳と同等の能力を備える技術的特異点のことを**「シンギュラリティ」**といいます。そしてAIが人間の能力を超える点を「超知能特異点」といいます。まだ遠い将来の話ですが、無視することはできません。AIをコントロールするためにも、ここまで述べてきたようなスキルセットやマインドセットが必要といえます。

⑦人間性の浸食

　AIに意思決定を依存するにつれ、私たちの批判的思考や問題解決能力は萎縮していくのでしょうか？　職業の選択から人間関係の構築まで、あらゆる選択をAIに依存する社会を想像してみてください。そのような風景のなかで、私たち人間の**自立性と創造性を磨いていくことがますます重要**になります。

⑧デジタルディバイド

　AIの利用格差（デジタルディバイド）が広がっていくでしょう。そこには個人個人のスキルの差、地域におけるAIへのアクセスのしやすさ、貧富の差などがあります。とくに教育や医療などの重要なインフラにおいては、すべての人が平等にAIを活用できるようになることが理想といえます。

⑨人間によるコントロールの喪失

　今後ますますAIが複雑化すると、開発した人間がコントロールできないような暴走アルゴリズムが誕生するかもしれません。同時に、**暴走を止める安全装置のような仕組みの開発も必要**になるでしょう。

⑩実存的倦怠感

　AIが進化し、仕事も趣味の創作も日々のコミュニケーションも人間に代わりこなせるようになったとき、私たちは何を生きがいにすればよいでしょうか。AIに人間の役割を奪われないように、あくまで**AIを道具として捉え、活用する**ためのスキルを磨くことが大切です。

▶ 環境負荷が高まる一方で税収の増加という二律背反も

　こうしたリスクと同時に、AIのメリットを理解することも肝要です。たとえば23ページで述べたデータセンターや半導体の需要は、地域に恩恵をもたらしています。日本では、TSMCが経産省の補助金を獲得して熊本に半導体製造工場を作りました。海外並みの給与水準の従業員が大量に出現したことで、現地経済は半導体バブルに沸いています。

　米国でも同様の実例が出ています。バージニア州のDominion Energyは最近、自社サービスエリアの電力需要が今後15年間でほぼ2倍になると予測していましたが、これは前例のない成長率であり、少なくとも部分的にはデータセンターに起因しているとしています。Amazonだけでもバージニア州のデータセンターに350億ドルを投資する計画です。

　また、同社は電力需要に対応するために、新しい発電所の95％がカーボンフリーになる一方で、新しいガス燃料発電所も建設する必要があると述べています。廃止が予定されていた一部の化石燃料プラントは、予想よりもはるかに長く稼働し続けることになります。現在、25年後には二酸化炭素排出量が2年前の予想よりも65％増加

すると予測しており、**環境負荷が決して低くない**ことの証左といえます。

　一方で、地域住民であるプリンスウィリアム郡の住民の多くはデータセンターの導入を支持しています。というのも、同じバージニア州のラウドン郡では、2022年にデータセンターが6億6,300万ドルの税金をもたらし、これは郡の年間予算の3分の1を占めました。業界の推計によると、**米国のデータセンターの建設と運営は、2021年に連邦、州、地方の税収として1,000億ドル近くを生み出し**、学校、公園、その他の重要なインフラへの資金提供に役立っています。

　ユーザーにとってのリスクとリターンのみならず、データセンター設置地域の環境負荷と税収といったことへの理解も必要となるでしょう。

急進化を遂げる生成AIという巨大なビジネスチャンス

　近年、**各国はAIを次の成長戦略と定め、毎年兆単位での投資**をしており、とくにアメリカや中国などの大国では豊富に資金を投入していました。生成AIの登場によってその方向性が決定づけられた形です。

　MicrosoftのOpenAIへの1兆円投資に代表されるように、グローバル大手企業にとっても、100億円単位の投資は当たり前になっています。AI投資で大きく出遅れた日本でも政府が補助金の提供を決め、これを利用してソフトバンクが200億円の投資を決定しました。

　これらの潤沢な資金を用いて開発企業側も急ピッチで陣容を拡大し、製品の開発とリリースが相次いでいます。たとえばChatGPTを開発したOpenAIは、約半年のペースで「GPT-3.5」→「GPT-3.5 Turbo」→「GPT-4」→「GPT-4 Turbo」→「GPT-4V (ision)」→「GPT-4o」とバージョンアップを繰り返しています。GPT以外の主要な大規模言語モデルだけでも数十種類が知られています。

Point

　「性能競争はやめる」といった論調もありますが、現実にはまったく減速しておらず、むしろ加速し、各国各企業が威信をかけて切磋琢磨しているのが現状です。

 まだまだ成長が見込める生成AI分野

Column

ビジネスチャンスをつかむための道しるべに

　第1章の最後に、これから先を読み進めていくための指針として、本書の全体像を簡単に示します。このような変化著しいAIの世界において、これまでとこれからのAIを正しく理解していただくべく、以下のように本書を構成しました。

- **第1章 生成AIがもたらすパラダイムシフト**
  いまAIに何が起きているかを要所解説し、今後のパラダイムシフトが与える影響を考察します。
- **第2章 AIを「武器」にするために知っておくべきこと**
  AIとは何か、生成AIと関連技術、業界の主要プレイヤーについて解説し、生成AIの活用パターンと活用の基礎となるプロンプトエンジニアリングについて解説します。
- **第3章 AIを導入＆開発するために必要なこと**
  生成AIの戦略的な導入の流れ、ビジネス目標との整合性、リスク管理、技術選択、そして実用化にいたるまでの実践的なステップを紐解いていきます。
- **第4章 [業界別] AIの活用動向＆効率化シミュレーション**
  各業種におけるAIの活用状況と、今後の活用可能性について紹介し、各業種で生成AIを効果的に活用できた場合、業界全体として、どのくらい作業時間を削減できるかをシミュレーションしました。
- **第5章 [目的別] 生成AIの活用事例**
  文書作成、クリエイティブ制作、ソフトウェア開発といった各ビジネスプロセスにおけるAIの具体的な活用事例に焦点を当て、解説します。
- **第6章 生成AIによる新たな価値創出**
  創薬、AIプロモーション、脳信号復元といった分野における、生成AIが拓く新しい価値創出の可能性を、事例を通して解説します。
- **第7章 生成AIの潮流を知りビジネスを加速する**
  短期・中期・長期にわたって、生成AIの私たちの生活への影響を、また、とくにビジネスにおける環境変化を想定し、今後の展望と課題に触れます。

AIを「武器」にするために知っておくべきこと

第1章では、生成AIの登場によるパラダイムシフトとその影響について俯瞰しました。第2章では、生成AIを「武器」としてビジネスに活用するために、AIとは何か、生成AIと関連技術、業界の主要プレイヤーについて概観します。そして、ビジネスにおける生成AIの活用パターンと活用の基礎となるプロンプトエンジニアリングについて解説します。

2.1 そもそもAIとは何か

「知性を持つ機械を作る科学と工学」と、そこから生み出された技術

図表2-1-1 AI（人工知能）という言葉の誕生

背景 | AIという言葉が初めて使われる

1950年代に
コンピューターが
急速に発展

ダートマス会議
（1956年）

AI（人工知能）とは
知性を持つ機械（コンピューター）を
作るための科学と工学である

図表2-1-2 AIブームと生み出された技術

今日ではこれらの技術を
AIと呼ぶことが多い

	特徴	生み出された技術（例）
第一次AIブーム（1956年～1970年代）	所定のルールに従ってコンピューターが意思決定を行うルールベースのAI研究が主流	・パーセプトロン ・手段目標分析 ・自然言語処理 ・画像処理
第二次AIブーム（1980年代～1990年代）	知識ベースと推論エンジンを持つエキスパートシステムが発展	・エキスパートシステム ・Prolog ・LISP ・バックプロパゲーション
第三次AIブーム（2000年代～現在）	大量のデータを処理してコンピューターを学習させる技術が社会を革新	・機械学習 ・深層学習

コンピューターの発展

知性を持つ機械を作る科学と工学

AIとは「Artificial Intelligence」の略であり、日本語では「人工知能」と訳されます。1956年にアメリカで開催されたダートマス会議で、学術分野としてのAIが確立されたといわれています。ダートマス会議には、のちにAIの父と呼ばれるマービン・ミンスキーをはじめ、計算機科学や数学、認知心理学などの研究者が集まり、のちのAIの発展を方向付ける重要な議論が行われました。

AIという言葉はアメリカの科学者であるジョン・マッカーシーによって最初に提案されたといわれており、当時の定義は**「知性を持つ機械を作る科学と工学」**でした。ここで、機械とはコンピューターのことを指します。当時、**急速に発展していったコンピューターに知性を持たせる試みとして、AIはスタートした**のです（図表2-1-1）。

AIブームを通した発展

ダートマス会議以来、AIはコンピューターと共に発展を続け、第一次から第三次までの研究ブームを通して、コンピューターに知的な行動をさせるためのさまざまな技術を生み出しました。**今日AIと呼ばれるものは、一般的にそれら一連の技術を指します**（図表2-1-2）。

第一次AIブーム（1956年〜1970年代）は、所定のルールに従ってコンピューターが意思決定を行うルールベースのアプローチによるAIの研究が主流でした。この期間に開発されたものには言語処理や画像処理の原型となるものが含まれていますが、当時の計算機処理能力の限界に直面しました。たとえば最初期のAIもどき（ELIZA）は、ユーザーからの入力文に対して心理療法者のように反復回答できましたが（たとえば「私はとても悲しい気分です」に対して「なぜ悲しいと感じるのですか？」など）、動作原理は単純なパターン認識とキーワード置換に基づいたものでした。

第二次AIブーム（1980年代〜1990年代）の期間にコンピューターの処理能力とメモリ容量の向上を受けて、「知識ベース」と「推論エンジン」を持つ「エキスパートシステム」が発展しました。たとえば、医療診断のエキスパートシステムは患者が「頭痛」「発熱」「吐き気」などの症状を入力すると、「インフルエンザである可能性が高い」といったアドバイスを提供できました。ただし、データの更新や未知のシナリオへの対応には限界がありました。

今日の第三次ブームは、第一次・第二次ブームの技術・ノウハウの上に構築されており、意外にも長い時間をかけて今日の姿になっていることがわかるでしょう。

2.1 そもそもAIとは何か

大量のデータを学習することで生まれた現在のAI

図表2-1-3 ニューラルネットワークが構成する多層構造の仕組み

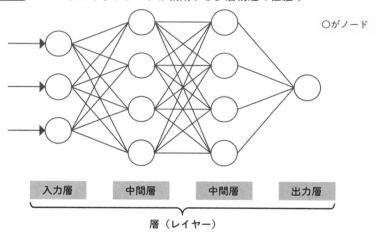

○がノード

入力層　中間層　中間層　出力層

層（レイヤー）

図表2-1-4 生体ニューロンと人工ニューロン（パーセプトロン、ノード）

生体ニューロン

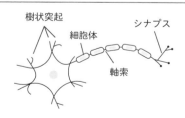

樹状突起　細胞体　シナプス　軸索

人工ニューロン（パーセプトロン、ノード）

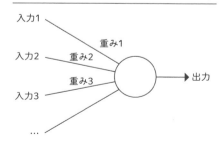

入力1　重み1　入力2　重み2　重み3　入力3　出力

32

▶ 生成AIへの進化がビジネスを革新

　第三次AIブームは2000年代初頭に始まり、いまも続いています。この時代は、**高度に発達したコンピューターを基礎として、大量のデータを処理してコンピューターを学習させる技術**が発展しました。これらの技術は「機械学習」と呼ばれています（次節にて詳しく説明）。大量のデータを読み込むことで、コンピューター自身がデータの特徴（パターン）を学びとり、データを分類したり予測したりできるようになったのです。この技術が現在のAIの礎になっており、なかでも「深層学習」と呼ばれる技術は人間にはわからないような特徴を見つけられるため、画像認識や自然言語処理の他、SiriやAlexaといったパーソナルアシスタントなどに広く使われています。2016年にGoogle DeepMindのAlphaGoがプロの囲碁プレイヤーに勝利したことは、深層学習の可能性を象徴する出来事でした。また、近年では**深層学習をさらに発展させたChatGPTなどの生成AIが、日常生活からビジネスまでさまざまな側面に革新をもたらしています。**

▶ 人間の脳を模したニューラルネットワーク

　現在のAIの中核にあるのが、**脳の構造をコンピューター上で模倣したニューラルネットワーク**です（図表2-1-3）。人間の脳細胞では樹状突起が付近のシナプスからの信号を受け取って細胞体で判断し、軸索を通してシナプスから次の細胞へと信号が伝達されます（図表2-1-4左）。ニューラルネットワークでは、相互接続された処理ユニットである「パーセプトロン（ノード）」が脳細胞の役割を果たし、情報を取得し、処理し、伝達していきます（図表2-1-4右）。各ノードは自分への入力値を見ながら重みをかけて次のノードへ出力値を渡します。出力値は人間の脳では電気信号に相当しますが、ニューラルネットワークでは数値として渡します。

　そして前掲の図表2-1-3のように、出力層にたどり着くまで何層にも重ねてノードが処理をします。この層（レイヤー）の数が多いニューラルネットワークを「ディープニューラルネットワーク」と呼び、これを用いた学習手法を深層学習（ディープラーニング）といいます。深層学習についても次節にて具体例を用いて説明します。このノードとレイヤーがさまざまに組み合わさったものが、AIの「モデル」です。モデルはバックプロパゲーションという仕組みによって間違いを修正しながら、精度を高めていきます。

機械学習と深層学習

図表2-2-1 機械学習の動作イメージ

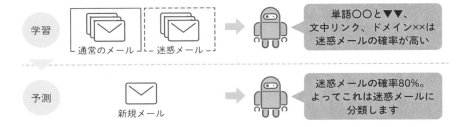

コンピューター上の機械学習プログラム

学習　通常のメール　迷惑メール　→　単語○○と▼▼、文中リンク、ドメイン××は迷惑メールの確率が高い

予測　新規メール　→　迷惑メールの確率80%。よってこれは迷惑メールに分類します

図表2-2-2 深層学習の構造と予測のイメージ

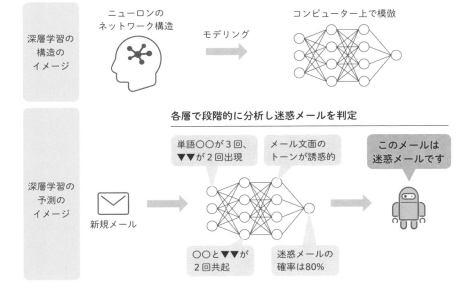

深層学習の構造のイメージ

ニューロンのネットワーク構造　モデリング　コンピューター上で模倣

各層で段階的に分析し迷惑メールを判定

深層学習の予測のイメージ

新規メール

単語○○が3回、▼▼が2回出現　メール文面のトーンが誘惑的　このメールは迷惑メールです

○○と▼▼が2回共起　迷惑メールの確率は80%

● 機械学習はデータからパターンを学習する技術

　近年のAIの多くは機械学習を用いて実現されています。機械学習を使用すると、**人間が多くの経験から経験則を見出して適切な状況判断や未来の予測をするように、コンピューターを使って大量のデータの背景にあるパターンを学習**し、そのパターンに基づいて、**新しいデータに対する判断や予測**を行います。

　たとえば迷惑メールを判定するスパムフィルターは、迷惑メールかどうかを判断するために機械学習を使用しています（図表2-2-1）。スパムフィルターの構築ではまず、機械学習を使用してコンピューターに大量のメールのサンプルを読み込ませて、そのメールが迷惑メールである確率が高くなるパターン（たとえば特定の単語やフレーズが含まれる、リンクが含まれる、送信元が特定ドメインであるなど）を学習します。そして、新しいメールが届いたときに、そのメールが迷惑メールである確率がどれくらいかを計算し、その結果から迷惑メールかどうかを判断します。

● 脳を模倣した構造で複雑なパターンを捉える

　深層学習は機械学習の応用で、**より人間の脳に構造を近づけるために多ノード・多層構造にしたもの**です（図表2-2-2）。その多層構造を活かして、データのパターンを学習します。たとえば、最初の層では単語やフレーズの出現頻度などの基本的な特徴を抽出し、中間層では単語やフレーズの組み合わせや距離、順番などの文脈からメールのニュアンスやトーンを段階的に分析し、最終層ではメール全体の「不審さ」を評価して迷惑メールかどうかを判定します。このように**各層が前の層で抽出した特徴から徐々に高レベルの特徴を抽出することで、人間には感知できないような複雑なパターンも学習できます**。また、「予測」ではこのようにして学習したパターンに基づいて、段階的に迷惑メールらしさを分析・判定します。

Point

　人間が進化の過程で脳の容量を大きくすることで、より高度な知的能力を獲得したように、深層学習も多層化を続け進化を続けています。深層学習はその性能の高さから、生成AIなどの最新のAI開発において、中核的な技術として広く使われています。

 深層学習は多層化を続けて進化中

機械学習で使われる3つの学習手法

図表2-2-3 教師あり学習のイメージ（スパムフィルターの例）

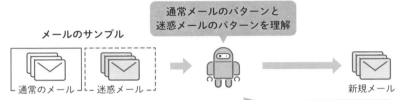

メールのサンプル

通常メールのパターンと
迷惑メールのパターンを理解

通常のメール　迷惑メール

新規メール

このメールは迷惑メールです

図表2-2-4 教師なし学習のイメージ（クラスタリングの例）

顧客の購買データ

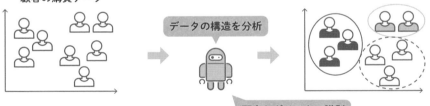

データの構造を分析

顧客セグメントの識別

図表2-2-5 強化学習のイメージ（囲碁の例）

棋譜やシミュレーション

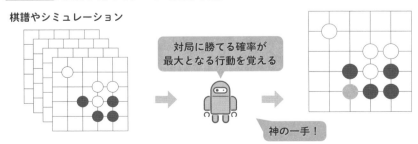

対局に勝てる確率が
最大となる行動を覚える

神の一手！

目的ごとに異なる学習手法

　機械学習で使われる学習手法には、「教師あり学習」「教師なし学習」「強化学習」の3種類があります。それぞれ異なった特徴を持ち、学習の目的に応じて使い分けられます。

①教師あり学習　〜入力データと対応する正解ラベルとのペアで学習〜

　教師あり学習は、**入力データとそれに対応する出力（正解ラベル）のペアを用いて学習する手法**です（図表2-2-3）。入力データはAIの判断のもとになる情報（スパムフィルターの例でのメールの件名や文章、送信元の情報）、出力情報はその入力に対する正解（スパムフィルターの例での迷惑メールかどうかの判定）を指します。生徒が教師から正解を教わるように、コンピューターは正解を導く確率が高くなるパターンを正解ラベルから学習します。教師あり学習は特定のタスクに特化したAIの学習に使用される手法で、**高精度のAIを実現できる反面、入力と出力がペアになったデータを大量に準備することが難しい**という課題があります。

②教師なし学習　〜正解ラベルが不要でデータの準備が比較的容易〜

　教師なし学習は、**正解ラベルのない、あるいは自明なデータを用いてデータのパターンを学習する手法**です（図表2-2-4）。たとえば、顧客の購買データから顧客セグメントを識別するクラスタリングや、正常な製品の画像と検査対象の製品の画像を比較して品質を確認する異常検知が教師なし学習の適用例です。また、後述しますが、ChatGPTなどの文章生成AIを実現する仕組みである言語モデルの訓練では、大量の文章データのなかの単語の繋がりパターンを学習します。教師なし学習のデータは**正解ラベル付け作業が不要なためデータの準備が比較的容易であり、大量のデータでAIの学習を行えます**。

③強化学習　〜報酬を最大化する行動をAIに学習させる〜

　強化学習は、**AIが置かれた環境に応じた最適な行動を学習する手法**です（図表2-2-5）。教師あり学習や教師なし学習とは異なり学習データは使用せず、代わりに環境に応じた報酬を設定し、報酬を最大化する行動をAIに学習させます。たとえば囲碁AIのAlphaGoの学習では、盤面の状況（環境）に応じて、対局に勝てる確率（報酬）が最大となる行動をとるような訓練がされました。強化学習は、比較的新しい手法ながら**先端技術の社会実装における重要性から、急速に発展**しています。

従来のAIができること、苦手なこと

図表2-3-1 「従来のAI」ができること

学習手法	実現できるタスク（例）			
教師あり学習	**分類**	✔ 画像認識 ✔ 感情分析 ✔ スパムフィルター	**回帰**	✔ 不動産価格予測 ✔ 株価予測 ✔ 気象予測
教師なし学習		✔ クラスタリング		✔ 異常検知
強化学習		✔ 囲碁 ✔ 自動運転		✔ ロボティクス

図表2-3-2 「従来のAI」が苦手なこと

創造的なコンテンツ生成

✔ 感情豊かな文章表現や、
　リアリティのある画像生成が苦手

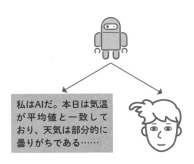

マルチタスク

✔ 特定のタスクは高性能でこなせても、
　複数のタスクをこなすことは苦手

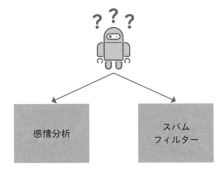

従来のAIができること 〜特定のタスクをこなす〜

ChatGPTの登場以来、いわゆる生成AIが関心を集めていますが、生成AIではない「従来のAI」もさまざまなビジネスシーンで活用されています（図表2-3-1）。

たとえば**教師あり学習をしたAIでは、データをカテゴリーに分ける「分類」タスク**を実現できます。画像認識では犬や猫などの動物の画像を識別し、それぞれの種類に分類します。感情分析では、文章データの内容がポジティブ、ネガティブ、またはニュートラルのうちどの感情を表しているかを判断します。たとえば、前述したスパムフィルターも分類タスクの一種です。

また、**教師あり学習によって、データから数値予測をする「回帰」タスク**を実現することもできます。不動産価格の予測では、家の面積、立地などからその家の市場価格を予測します。株価予測では過去の株価データや経済指標をもとに、未来の株価を予測します。気象予測では、気温、湿度などのデータから将来の気象状況を予測します。

さらに、前述のように、**教師なし学習をしたAIではクラスタリングや異常検知などのタスク**を実現できます。あるいは**強化学習をしたAIでは、囲碁、自動運転、ロボティクスなどのタスク**を行えます。

従来のAIが苦手なこと 〜コンテンツ生成など〜

従来のAIを用いた**創造的なコンテンツ生成には限界があります**。たとえば、従来のAIを使って小説を書かせると、文法的に正しい文章を生成できたとしても、物語の深みや感情表現が乏しくなることが多いです。画像生成においては、しばしば不自然なゆがみ（たとえば人間の目や鼻の配置がおかしかったり、質感が不均一になったりする）があります。次節で説明する生成AIは、このような不自然さを抑え、人間の目から見てより自然なコンテンツを生成することができます。

また、従来のAIは**1つのシステムで複数のタスクをこなす「マルチタスク」が苦手**です。たとえば、感情分析では感情を表す単語や言い回しから文章全体の感情を判断するのに対し、スパムフィルターでは誘惑的なフレーズや送信元に注目してスパムメールを抽出します。両タスクでは異なるデータ処理や判断基準が必要なため、1つのAIが両方を高精度で行うことは困難です。感情分析用のAIはスパムメールの特徴を見落とすかもしれませんし、スパムフィルター用のAIは文章の感情を正確に捉えられない可能性があります。

簡単な操作で高品質なコンテンツを生成できるAI

図表2-3-3　生成AIの特長①：高品質なコンテンツを作成できる

✔ 人間の脳と同等以上の
　大規模深層学習ネットワーク

✔ A4用紙10億枚にのぼる
　データでの学習

✔ 多種多様な質問に適切で
　高品質な回答を生成するAI

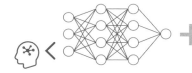 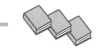

図表2-3-4　生成AIの特長②：直観的な命令で柔軟に操作できる

感情分析AIとして操作するイメージ

スパムフィルターAIとして操作するイメージ

 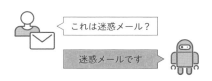

図表2-3-5　生成AIの特長③：訓練済みの「基盤モデル」が提供される

従来のAIの利用イメージ

生成AIの利用イメージ

✔ 特定のタスクに適した
　大量のデータの収集と学習が必要

✔ 汎用的な能力を持つ生成AIを
　好きな時に使うことができる

▶ 生成AIの3大特長

　ChatGPTの登場以来、生成AIという言葉が新聞やニュースで話題となっています。生成AIにはChatGPTのような文章生成AIの他に、画像生成AI、動画生成AI、音楽生成AIなどがありますが、実は「生成AI」という言葉には決まった定義がありません。そのため本節ではChatGPTを例にとり、生成AIと呼ばれるAIに共通する特長を説明します。

特長①：高品質なコンテンツを作成できる

　ChatGPTは非常に大規模な深層学習ネットワークであり、ニューロンに対応するネットワークの節の数は数千億個になるといわれています（図表2-3-3）。人間の脳のニューロンの数が1千億個程度といわれているため、ChatGPTは人間の脳と同等かそれ以上の大規模な情報処理ネットワークであるといえます。またChatGPTは、A4用紙換算で10億枚にものぼる大量の文章データで学習したといわれています。つまり、世界中の文献を読み込んだ天才言語学者のようなものであり、**ユーザーの多種多様な入力文に対して、適切かつ高品質な回答文を生成**できます。

特長②：直観的な命令で柔軟に操作できる

　ChatGPTは日常で使われる言葉で書かれた入力文をユーザーから受け取り、その回答文を生成します。ユーザーは入力文を変更することで、ChatGPTにさまざまタスクを実行させられます。たとえば、所定のメールの内容をコピー＆ペーストして「メールの表す感情は肯定的、否定的、中立のどれですか」と入力すれば感情分析を、「迷惑メールかどうか判定してください」と入力すればスパムフィルターを実行します（図表2-3-4）。また、従来のAIはマルチタスクが苦手でしたが、ChatGPTは**入力文を調整することで無数の異なるタスクを実行**できます（図表2-3-4）。

特長③：訓練済の「基盤モデル」が提供される

　ChatGPTが急速に市民権を得ている理由の1つが、大量のデータであらかじめ学習した「基盤モデル」が提供されていることです。従来のAI開発では、特定のタスクに適した大量のデータの収集と学習が不可欠であり、これには膨大な時間と労力が必要でした。ChatGPTのユーザーは、**あらかじめ汎用的な能力を獲得した生成AIを、好きなときに利用できる**のです（図表2-3-5）。

文章生成AI、画像生成AI

図表2-4-1 ChatGPTの使用例のイメージ

入力ボックスに
文章を入力

How can I help you today?

Give me ideas

Show me a code snippet

Compare marketing strategies

Help me study

生成AIについて、大学生でも分かるように、200字程度で説明してください。

● You
生成AIについて、大学生でも分かるように、200字程度で説明してください。

● ChatGPT
生成AI(Artificial Intelligence)は、人間のように考え、学習し、新しい情報やコンテンツを生成する技術です。例えば、文章、画像、音楽などを自動的に作り出します。これは、大量のデータからパターンを学ぶ「機械学習」という方法に基づいています。生成AIは、ユーザーからの指示やデータに基づいて、独自の回答や作品を生み出すことができます。この技術は、創造的な作業を助けるだけでなく、研究やビジネスに（も役立ちます。し）かし、正確性や倫理的な問題には（注意が必要）

入力文に対する
回答を出力

● You
上記の文章を、100字程度で要約してください。

● ChatGPT
生成AIは、機械学習を用いて文章や画像などを自動生成する技術です。創造的な作業やビジネスに応用されるが、正確性や倫理に配慮が必要です。

図表2-4-2 DALL・E3の使用例のイメージ

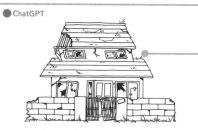

● You
さみしそうな古い家のイラストを描いてください。

● ChatGPT

こちらが、寂しげな古い家のイラストです。

希望する絵を描くように入力

入力文に対する回答を出力

◀「さみしそうな古い家」という命令文に対し、単純に古い家を描画するのではなく、周囲に他の家がないことや、壁のひび割れや草が生い茂った庭などの周辺要素までを加えて描画し、寂しさを表現

人間が書いたような文章や要約文を自動的に生成

図表2-4-1は代表的な生成AIサービスであるChatGPTの画面イメージです。**ユーザーが文章を入力すると、まるで人間が書いたような回答文が出力**されます。たとえば、あるテーマについて「説明してください」と入力すると、そのテーマについて説明する文章を出力します。また、文章を「要約してください」と入力すると、要約して出力します。「大学生にもわかるように」や「200文字程度で」といった要求を理解して回答のニュアンスや長さを変えることもでき、ユーザーの意図を細かく反映して出力を調整できます。

最新の文章生成AIはWeb検索機能と連動しており、Web上の情報を自動収集してレポート作成するといった使い方も可能です。また、プログラミングコードも作成できるため、エンジニアやデータサイエンティストが新しいライブラリを試してみる際のお試しコードを瞬時に作成するなどの使い方ができ、生産性の向上に貢献します。

入力した文章に見合った画像を自動的に生成

画像生成AIは、**ユーザーの入力文に基づいてリアルで精細な画像を生成**します。図表2-4-2は画像生成AIの1つであるDALL・E3の実行例です。DALL・E3はChatGPT Plusプランで利用可能で、ChatGPTの入力ボックスに「イラストを描いてください」などと入力すれば、自動的に起動して画像を作成します。高品質の画像を生成するのみならず、ユーザーの入力文に含まれる色、形、テクスチャ、感情などのさまざまな要素を解釈し、それを1つの画像に統合することができます。画像生成AIを利用した他のサービスとしては、Stable AIのStable Diffusion、MidjourneyのMidjourneyなどがあります。

> **Point**
>
> 画像生成AIはイメージの可視化を助け、人間が創造的なプロセスにかかわる時間とコストを削減するため、広告、デザイン、アートなどの分野で活用されています。それ以外の分野でも、作成中のプレゼン資料のイメージにピッタリとはまるイラストやグラフを生成する、という使われ方もあります。

 アートからデザイン、プレゼン資料作成までを支援

動画生成AI、音楽生成AI

図表 2-4-3 Pika 1.0 の使用例

生成したい画像の特徴を入力して
生成ボタンをクリック

指定した特徴を持つ動画が生成される

図表 2-4-4 Suno の使用例

生成したい音楽の特徴を入力
して生成ボタンをクリック

指定した特徴を持つ
音楽が生成される

特別な機材やスキル不要で誰でも動画を生成できる

　動画生成AIも**入力した文章から動画を生成**します。たとえば動画生成AIの1つである Pika1.0 (https://pika.art/home) は、実写風、アニメ風など、ユーザーが指定した雰囲気を持たせた数秒間の動画を生成できます。動画中の人物や人物の服装を変更することも可能です（「twitter.com」などのサイトを検索すれば、そのような動画を容易に見つけられます）。動画の撮影は通常、機材や編集ソフトウェアなどに多額のコストが必要ですが、動画生成AIによってこれらの**コストを大きく削減**できます。

　第1章でも触れたように、2023年に伊藤園の「お〜いお茶 カテキン緑茶」のテレビCMに、動画生成AIで作成されたリアルなAIタレントが起用されて話題を呼びました。CM作成の現場では、生成AIを利用して大量のデザイン案を出せるといったメリットが確認されています。また、AIタレントはスキャンダルを起こす可能性がなく、タレント管理コストが削減できることもメリットと考えられます。

曲のスタイルや歌詞を入力するだけで楽曲を自動生成

　音楽生成AIは、Suno (https://www.suno.ai/) を例に紹介します。Suno も他の生成AIと同様、**入力ボックスに歌詞の一部や曲調を指示する文章を入力するだけでオリジナルの音楽を生成**できます。Suno が面白いのは、入力した歌詞の一部や曲調から、全体の歌詞を生成して歌付きで生成する点です。まるで自分が音楽プロデューサーになった気分が味わえます。また、CDジャケット風の画像も自動的に生成するため、音楽のプレイリストとして見て楽しむこともできます。生成AIが生み出した楽曲は**プロのミュージシャンからも評価されるほどのクオリティ**ですが、本格的なビジネス利用はまだこれからの印象です。

> Point
>
> 　詳しくは208ページで触れますが、音楽分野におけるAI活用としては、故人の歌声を学習して再現するプロジェクトや、録音済みの音源を歌や楽器ごとの素材に分離するデミックスがあります。たとえば美空ひばりの新曲を生成したり、ジョン・レノンが残したデモテープから歌声だけを取り出して、新しい演奏に乗せるといった試みが行われています。
>
> 過去の音楽資産から新たな価値が生まれる！

マルチモーダルな生成AI

図表2-4-5 マルチモーダルな生成AI

マルチモーダルのイメージ

✓ 複数モードの情報を理解し生成できる

文章
画像   理解 →   生成 →   文章
音声   画像
                                                                                          音声

マルチモーダルな動作のイメージ

✓ 画像について音声でコメントする

  白い犬です

生成AIの マルチモーダルの メリット（例）	入力情報の マルチモーダル	文章にするのが難しい抽象的なアイデアや複雑な情報を そのまま生成AIに伝えることができる
	出力情報の マルチモーダル	画像や音声など複数形式の出力をすることで、ユーザーの 直観的な理解を助けて使いやすくなる

図表2-4-6 OpenAI GPT-4V の動作イメージ

Help me lower my bike seat

● ChatGPT

To lower your bike seat:

1. Locate the quick-release lever or bolt at the base of the seat post (just above the frame).
2. If there's a quick-release lever, open it. If it's a bolt, you'll need an Allen wrench●

バイクのサドルを下げるのを 手伝ってください

バイクのサドルを下げるには：
1. シートポストの基部（フレームのすぐ 上）にあるクイックリリースレバーか ボルトを探してください
2. クイックリリースレバーがある場合 はそれを開けてください。ボルトの場 合はアレンレンチが必要になります

◀ OpenAIのWebサイトでは、文章から生成された音声や、GPT- 4Vが自転車のサドルを調整する方法をユーザーに教えるデモ動画 を視聴可能

出典：OpenAI「ChatGPT can now see, hear, and speak」をもとに筆者作成

📄 文章、画像、音声から情報を解析

文章、画像、音声など複数の異なる形式（モード）の情報を理解し生成できるAIのことを、マルチモーダルな生成AIと呼びます。たとえば、マルチモーダルな生成AIにユーザーが文章で質問をすると、それに対して文章だけではなく、画像やグラフ、ときには音声で答えが返ってきます。また、画像を受け取ると、その画像の特徴や画像中の文章を認識して出力します。

マルチモーダル化は**人間と生成AIのコミュニケーションの質を大きく向上**させます。たとえば、画像を生成AIに入力できれば、言葉にするのが難しい抽象的なアイデアや複雑な情報をそのまま生成AIに伝えられます。また、人間は視覚や聴覚など複数の感覚を使って情報を受け取るため、文章、画像、音声など複数の形式で情報を出力できることで、直観的な理解を助け、多くの人にとって使いやすくなります（図表2-4-5）。

📄 マルチモーダルな生成AIの例：OpenAI GPT-4V

2023年9月25日にOpenAIは、マルチモーダル化したChatGPTである「GPT-4V」を発表しました。GPT-4Vは数秒間のサンプル音声と文章から、人間がそのテキストを音読しているかのようなリアルな音声を生成します。また、ユーザーがアップロードした画像内に存在するオブジェクトを認識し、その画像の内容についてユーザーと会話が可能です（図表2-4-6）。

その他、マルチモーダルな生成AIの使い方としては、旅行中のランドマークの写真を撮影してAIと対話をしたり、家で冷蔵庫や食料庫の中身を写真に撮って夕食のアイデアを一緒に考えたり、子供の数学の問題を写真に撮ってヒントを共有したりするといったことが提案されています。ビジネスにおいては、視覚障害を持つユーザーに対して音声で情報を提供し、聴覚に障害があるユーザーには視覚的な情報を提示するなど、**より幅広いユーザーにサービスを提供することが可能**になります。

> Point
>
> Googleも自社のマルチモーダルサービス「Gemini」を発表し、OpenAIに追随しています。マルチモーダル化は現在の生成AI開発の主要なトレンドとして位置づけられています。

 マルチモーダル化は生成AI開発の主要トレンド！

2.5 強いAI

AGI（強いAI）を実現するために必要なこと

図表 2-5-1 AGI（強いAI）とは

AGIの条件※

・人間のように幅広いタスクを
　理解して解決できる
・経験から学び自己進化できる

OpenAIはAGIの実現を目指している

> 我々のミッションはAGIが
> 全人類に利益をもたらすことを
> 確実にすること

※AGIの条件にはさまざまな解釈があり、この条件はあくまでも一例です

図表 2-5-2 AGI実現へ向けて

AGI実現の条件	現在の状況		今後の方向性
技術 **汎用性を持つこと**	生成AIのマルチモーダル化によりAIの汎用性は大きく向上している	▶	文章を媒介に多数のAIやアプリを統合して汎用性を拡大する
技術 **自己進化できること**	現時点の生成AIは経験から学習し自己進化することはできない	▶	AIが「学び方を学ぶ」メタラーニングの領域などのブレークスルーが待たれる
社会 **法的な枠組みの整備**	著作権の問題でOpenAIが起訴されるなど、学習データの確保に向けた法的課題が存在する	▶	法整備を一つひとつ進めて、質・量的に十分な学習データが得られる社会環境を実現する

▶ AGIとは ～強いAI：汎用人工知能～

AGI（Artificial General Intelligence）とは、特定のタスクに特化したこれまでのAIとは異なり、**人間のように幅広い種類のタスクを理解し、解決し、さらに経験から学習して自己進化できるAI**のことです。日本語では汎用人工知能と訳され、「強いAI」とも呼ばれます。OpenAIは「AGIが全人類に利益をもたらすことを確実にすること」をミッションとしています（図表2-5-1）。

▶ AGI実現の可能性 ～実現のための3つの課題～

執筆時点までに開発された生成AIは、いずれもAGIではないと考えます。AGIの実現にはさまざまな技術的、社会的条件を満たす必要がありますが、ここでは、そのうちの代表的なものについて考察します（図表2-5-2）。

AGI実現の条件①「汎用性を持つこと」

人間のように幅広いタスクに対応できる汎用性の獲得のために、筆者は**マルチモーダル化を推し進める**べきと考えます。たとえば、GPT-4Vはユーザーの入力文からWeb検索などの必要性を自動的に判断して、必要なアプリケーションを実行できます。このように、1つのAIでは無理でも、**文章を媒介に多数のAIやアプリを統合する**ことで、人間のような汎用性を実現できる可能性があります。

AGI実現の条件②「自己進化できること」

AGIは**経験から学習し、新たな情報やデータを取り入れて自己進化できる**とされていますが、このような能力は現時点の生成AIには備わっていません。この課題に対しては、生成AIが「学び方を学ぶ」ためのフレームワークであるメタラーニングなどの研究が進められており、ブレークスルーが待たれます。

AGI実現の条件③「法的な枠組みの整備」

AGIの実現に必要な質・量的に**十分な学習データが得られる社会環境の実現には、著作権法改定などの法的な整備が必要**となる可能性があります。たとえばニューヨークタイムズは、自社が著作権を持つコンテンツを生成AIの学習に無断で使用したとしてOpenAIとMicrosoftを提訴しました。AGIの実現に向けては、法整備が最大の課題になる可能性があります。

LLM（大規模言語モデル）
～自然言語を理解する技術～

図表2-6-1 言語モデルの学習イメージ

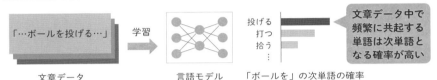

文章データ　　　言語モデル　「ボールを」の次単語の確率

投げる　打つ　拾う　…

文章データ中で頻繁に共起する単語は次単語となる確率が高い

「…ボールを投げる…」　学習

図表2-6-2 言語モデルの次単語予測イメージ

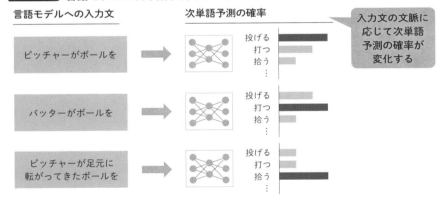

言語モデルへの入力文　　　次単語予測の確率

入力文の文脈に応じて次単語予測の確率が変化する

ピッチャーがボールを

バッターがボールを

ピッチャーが足元に転がってきたボールを

投げる　打つ　拾う　…

図表2-6-3 LLMのタスク切り替えイメージ

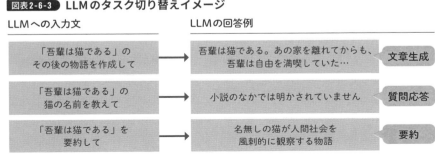

LLMへの入力文　　　LLMの回答例

「吾輩は猫である」のその後の物語を作成して　→　吾輩は猫である。あの家を離れてからも、吾輩は自由を満喫していた…　**文章生成**

「吾輩は猫である」の猫の名前を教えて　→　小説のなかでは明かされていません　**質問応答**

「吾輩は猫である」を要約して　→　名無しの猫が人間社会を風刺的に観察する物語　**要約**

人間の言葉に対応可能なAIモデル

　LLMとはLarge Language Model（大規模言語モデル）の略称で、**入力された文章に対して、まるで人間が書いたような回答を生成**できるAIの一種です。LLMは大規模な学習データを用いた教師なし学習で言語の構造を学習するため、複雑な文脈に対応する適切な文章を生成できます。

LLMの動作原理

　LLMは非常に高度なAIですが、その動作原理は「言語モデル」と呼ばれるシンプルなものです。言語モデルとは、特定のAIを指す言葉ではなく、**ある単語の次に出現する単語を次々と予測**するシステムやアルゴリズムの総称です。言語モデルは大量の文章データを用いた学習を通して、入力された文や単語の次に来る可能性が高い単語を予測する能力を獲得します。この予測は確率に基づくため、学習データ中で頻繁に現れる単語ほど、予測される可能性が高くなります。学習データ中に「ボールを投げる」というフレーズが多く使われている場合、モデルは「ボールを」と入力された際に「投げる」を次の単語として予測することが多くなります（図表2-6-1）。
　LLMなどの高度な言語モデルが予測する次の単語は、入力文の文脈に応じて変化します。入力文が「ピッチャーがボールを」の場合は、依然「投げる」を予測する可能性が高いですが、入力文が「バッターがボールを」の場合は、「打つ」を予測する可能性が高まります。さらに、入力文が「ピッチャーが足元に転がってきたボールを」であれば、LLMは「拾う」を予測する可能性が高くなるでしょう。このようにして、**入力文の次に来る単語を次々と予測することで、LLMは入力文の命令に応じた適切な文章を生成**します（図表2-6-2）。

LLMを使うとできること

　高精度の言語モデルは、**文章生成、質問応答、文章の要約など多数のタスクで高い性能を発揮**します。文章生成においては、ユーザーが提供した情報に基づいて、流暢な文章を作り出せます。質問応答では、質問の意図を理解し、適切な回答を生成することが可能です。また、テキストの要約では、長い文章から主要なポイントを抽出し、簡潔な形式で情報を提供できます（図表2-6-3）。これらの能力は、**モデルが複雑な文脈を認識し、それに応じた単語を選択**することで実現されています。

Transformer ～LLMの技術要素～

図表 2-6-4 Attentionによる文章生成イメージ（日本語文章の英語訳）

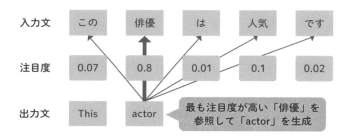

入力文	この	俳優	は	人気	です
注目度	0.07	0.8	0.01	0.1	0.02
出力文	This	actor			

最も注目度が高い「俳優」を参照して「actor」を生成

図表 2-6-5 離れた単語の関係性の理解差のイメージ

「私は昨日、ランチのあとに映画を観に行きました。とても興奮しました。」

英語への翻訳

Attention

「私」が興奮したことを理解している

「I went to see a movie after lunch yesterday. I was very excited.」

Attention

興奮した主体を取り違えている

「I went to see a movie after lunch yesterday. It was very excited.」

革新的な言語処理機構、Transformer

Transformerとは、**LLMを構成する言語処理の機構**です。たとえばChatGPTは、Transformerの構成要素のうち、文章の生成をおもに担うデコーダー部分を、数千億個組み合わせて構成されています。

入力文を的確に分析

Transformerは、2017年の「Attention Is All You Need」という論文で提唱されました。「Attention」と呼ばれるメカニズムを採用しており、**単語やフレーズ間の関係性を的確に捉えられます。**

例として、「この俳優は人気です」という日本語を「This actor is popular.」という英語へ翻訳するタスクを考えてみましょう。従来のAI技術では、ざっくりと言えば「この俳優は人気です」という原文の意味を深く理解し、同じ意味内容を持つ英語の文章を一から生成する、という処理を実行していました。これとは対照的に、Attentionメカニズムでは、日本語の文章のどこに着目すべきかを特定し、翻訳タスクをステップごとに遂行します。上の例において、英語の文章の最初の単語として「This」を出力したあと、入力文の各要素の「注目度」を計算し、「注目度」が最も高い「俳優」を参照して、「This actor」と出力します（図表2-6-4）。Attentionはまるで人間の翻訳者のように**もとの文章を適切に参照しながら、次に来るべき最も自然で適切な単語を判断し選定する仕組み**といえます。

長文も理解できる

Transformerを用いることで、**文書全体の文脈やニュアンスを考慮し、文中の遠く離れた単語やフレーズの関係性をも正確に理解する**ことが可能になります。一方で、従来のAI、とくに基本的なモデルは技術的な制約のために、遠く離れた単語やフレーズの関係性を正確に捉えることが困難でした（図表2-6-5）。日本語の文章構造を理解して適切に解析できる翻訳者は、たとえ文章が長く複雑になっても正確な英語の文章を作成できるのに対し、文章をまる覚えして翻訳する素人は、文章が長く複雑になると正確な英語の文章が作成できなくなるようなものです。この特性をもとにTransformerを基盤とするLLMは、従来のAIよりも**長く複雑な文脈や構造を理解し、分析する能力を持ちます**。これにより、より洗練され、詳細な情報処理が可能となり、その結果として高度なタスクも遂行できます。

拡散モデル 〜砂嵐（ノイズ）から画像を生成する技術〜

図表2-6-6 拡散モデルの学習のイメージ

「順過程」：画像に徐々にノイズを加えて砂嵐にする

画像　　　…　　　砂嵐

「逆過程」：順過程を参考にして砂嵐から画像を復元する方法を学習する

図表2-6-7 拡散モデルによる画像生成のイメージ

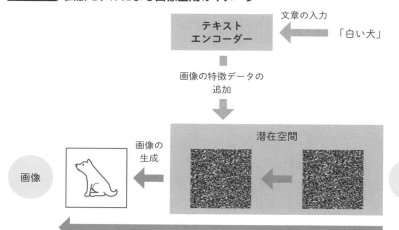

文章を画像の特徴データに変換して砂嵐に追加することで目的の特徴を持った画像を生成する。画像の特徴を表すデータは実際の画像ではなく「潜在空間」で画像データに追加される（潜在空間については本書の範囲を超えるため詳細は割愛）

リアルで自然な画像を生成する拡散モデル

　拡散モデルとはStable Diffusionなどの画像生成AIに使われている技術で、**ノイズ画像から少しずつノイズを取り除くことで画像を生成**します。従来のAI技術に比べ、画像の生成過程で発生するノイズを制御することで、リアルで自然なテクスチャを持つ画像を作り出すことが可能です。

「砂嵐」から画像を生成

　拡散モデルは、画像に徐々にノイズを加えていき最終的には砂嵐レベルの状態へと変換する「順過程」と、その砂嵐の状態からもとの画像に近い状態へと復元する「逆過程」を繰り返すことで、砂嵐から画像の詳細を復元する能力を獲得します。**画像データをいったん跡形もなく破壊し、ゼロから作り直せるレベルにまで訓練**するようなものです。この学習によって、拡散モデルは砂嵐に少しずつ変化を加えて、まるで絵が徐々に現れるかのように、リアルな画像を生成できるようになります（図表2-6-6）。

　画像生成AIは、拡散モデルによる画像生成の過程で**目的の画像の特徴を表すデータを砂嵐に追加することで、希望する特徴を持った画像を生成**します。たとえば、後述するCLIP技術を使用して学習したテキストエンコーダーを使って、「白い犬」という文章を画像の特徴を表すデータに変換して砂嵐に追加することで、拡散モデルは白い犬の画像を生成します。

　ここで、拡散モデルがノイズ画像を入力とする理由は、パターンのない画像から始めることで拡散モデルに不要な制約を加えずに、生成される画像の多様性を高めるためです。既存の画像から始めることも可能で、たとえば画像の欠けた部分を復元したり、ある画像に他の画像のスタイルを適用したりできます。

Point

　拡散モデルは図表2-6-7のような構成をとることで、入力された文章の細かな違いに応じ、出力画像を連続的に変化させることができます。拡散モデルには、出力画像の品質の高さに加え、このような特長があるため、現在の画像生成AIにおいて広く使われています。

 文章に応じて画像を連続的に変化させる

CLIP
～自然言語と画像をつなげる技術～

図表2-6-8 CLIPでのAI学習イメージ

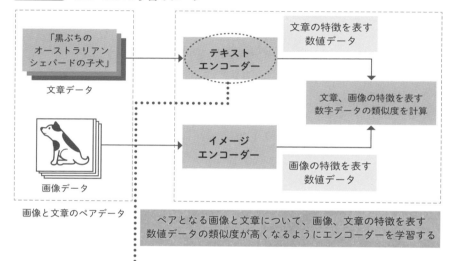

図表2-6-9 画像生成AIでの「テキストエンコーダー」使用イメージ

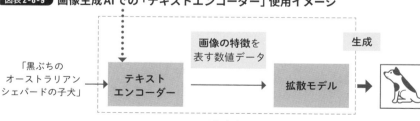

▶ 文章と画像を繋げる技術、CLIP

　CLIP（Contrastive Language-Image Pre-training）は、**AIが文章と画像を関連付ける能力を獲得するためのAI学習の手法**です。CLIPで学習したAIを利用することで、画像生成AIは文章の内容を理解し、それに応じた画像を生成できるようになります。

▶ 文章と画像の特徴を数値化してマッチング

　CLIPでのAI学習では、**「イメージエンコーダー」と「テキストエンコーダー」を同時に訓練**します。前者は画像の特徴を数値データに変換するAI、後者は文章の特徴を数値データに変換するAIです。学習前の状態では、イメージエンコーダーとテキストエンコーダーの双方の出力に関連はなく、バラバラの数字を出力します。

　CLIPでのAI学習には、**膨大な数の画像とその画像の内容を表す文章のペア**を使用します。学習ではまずイメージエンコーダーに画像情報を数値データに変換させ、テキストエンコーダーに文章情報を数値データに変換させます。そしてイメージエンコーダーが出力する数値データとテキストエンコーダーが出力する数値データの「類似度」が、**ペアとなる画像と文章の組み合わせに対しては高く、ランダムにマッチングされた画像と文章の組み合わせに対しては低く**なるように学習します。この学習により、テキストエンコーダーはその**文章の内容が表す画像の特徴を表す数値データ（と類似したデータ）**を出力できるようになります（図表2-6-8）。

　CLIPの手法で訓練されたテキストエンコーダーは、画像生成AIのなかで、ユーザーが入力した文章を画像の特徴を表す数値データに変換します。その数値データが拡散モデルに渡されることで、ユーザーが指定した特徴を持つ画像が生成されます（図表2-6-9）。

Point

　CLIPは文章の内容と画像の関連性を捉える技術であるため、たとえば入力文章の内容に最も適合する画像を選び出す画像検索や、画像に適切なラベルを割り当てる画像分類にも使用されます。また、CLIPは画像に関する質問を理解して、適切な回答を生成する視覚的質問応答タスクにも応用できます。このような特性により、CLIPは生成AIのマルチモーダル化の流れのなかで重要な役割を果たしています。

 文章による画像検索や視覚による対話を実現！

2.7 生成AIのプレイヤーを知る

LLM主要プレイヤーの戦略を俯瞰する

図表2-7-1 生成AIの主要プレイヤー

立ち位置	企業名	特徴	主要製品
生成AI市場に強い影響力	OpenAI	生成AI開発のフロントランナー	・GPTシリーズ ・DALL・Eシリーズ
	Microsoft	生成AIのビジネス利用をけん引	・Azure OpenAI Service ・Copilot for Microsoft
	NVIDIA	GPUの雄は生成AIのクラウドを寡占	・NVIDIA DGX Cloud
Microsoft連合に対抗	Google	OpenAI-Microsoft連合の対抗馬	・Vertex AI ・Gemini
	Amazon	クラウドの強みを軸に生成AIのシェアを狙う	・Amazon Bedrock ・Amazon Q
	Meta	開発コミュニティと共に生成AI技術の発展を推進	・Llamaシリーズ ・Seamless
存在感を示すスタートアップ	Anthropic	高性能生成AI「Claude」でOpenAIを追随	・Claudeシリーズ
	Cohere	安全性重視の企業向けソリューションを開発	・Command-R ・Aya
	Mistral AI	生成AIトップティアの一翼を担う欧州の雄	・Mistralシリーズ ・Le Chat
	Stability AI	多様な生成AIで人類の可能性を活性化	・Stable Diffusion ・Stable LM
日本語LLMに活路を見出す	LINE	日本語LLM開発の先駆者	・Hyper CLOVA ・japanese-large-lm
	サイバーエージェント	日本語LLMで広告効果を最大化	・CyberAgentLM ・極予測AI
	オルツ	AIクローンによる「人類の労役からの解放」を目指す	・LHTM-2
	NTT	LLMの集合知が連携して社会課題を解決する世界を志向	・tsuzumi
	ELYZA	日本語LLMの研究開発と社会実装をけん引	・ELYZA-japanese-Llama2-70b

OpenAI：生成AI開発のフロントランナー

OpenAIは文章生成AIのGPTシリーズ、画像生成AIのDALL・Eシリーズ、文章をプログラミングコードに翻訳するCodexなどを提供しています。2022年にリリースされたChatGPTから最新のGPT-4まで、**GPTシリーズは最高クラスの文章生成AI**として認知されています。

2023年9月にはGPTに画像認識や文章の音声化機能を加えた「GPT-4V」をリリースしており、これは**同社がミッションに掲げるAGIの実現へ向けた布石**と解釈することもできます。これまでOpenAIは独自のクラウドプラットフォームサービスは展開しておらず、OpenAIの生成AIを使ったアプリケーションの構築には、協力関係にあるMicrosoftのAzure OpenAI Serviceなどを使うことが一般的です。

Microsoft：生成AIのビジネス利用をけん引

Microsoftは独自の生成AIの開発を行わない代わりに、早くからChatGPTの開発へ投資するなど、OpenAIとの協力関係を築いてきました。自社のクラウド基盤に、顧客が独自の生成AIアプリケーションを構築できる**Azure OpenAI Serviceなどのプラットフォームの提供も他社に先んじて開始**しており、生成AIのビジネス利用を推進しています。

直近では、OpenAIのGPT-4やDALL・E 3を自社アプリケーションに統合してビジネスタスクを支援する「Copilot」シリーズをリリースしており、**ビジネスシーンでの生成AI利用の在り方を形作っている**企業であるといえます。

NVIDIA：GPUの雄は生成AIのクラウドを寡占

NVIDIAは画像処理ユニット（GPU）開発のリーディングカンパニーです。MT-LNGと呼ばれるLLMをMicrosoftと共同開発するなど、生成AIの発展にも重要な貢献をしており、近年ではNVIDIA DGX Cloudなどの生成AIの開発や運用を支援するフルスタックの**クラウドプラットフォームの分野で活動を拡大**しています。

NVIDIA DGX Cloudは自社サービスとしての提供に加えて、Microsoft Azure（以降Azure）やGoogle Cloud Platform、AWSの主要クラウドに導入されています。また、NVIDIAの高性能なGPUの世界的な争奪戦が起きており、日本においても生成AIを活用した事業の強化を進める企業の間でNVIDIAと協業する動きが活発になるなど、NVIDIAは**生成AIの領域で大きな影響力**を持っています。

▶ Google：OpenAI - Microsoft連合の対抗馬

　Googleは2000年代からAIの研究開発に大きな貢献をしてきました。とくに2018年に発表した先駆的LLMであるBERT（バート）は、当時としては圧倒的な性能で業界に衝撃を与えました。独自のクラウドサービスでもあるGoogle Cloud Platformも展開しており、**OpenAI - Microsoft連合の対抗馬**の有力候補と目されています。

　チャットアプリケーションのBard（バード）（のちにGemini（ジェミニ）と統合）、自社既存ラインナップに生成AIを統合したDuet AI、生成AIアプリケーション開発基盤であるVertex（バーテックス）AI、マルチモーダル生成AIサービスのGeminiを次々と発表し、サービスの包括化を進めています。Googleの強みである**検索サービスと生成AIの連携**などから、**画期的なサービスを生み出す可能性**が期待されます。

▶ Amazon：クラウドの強みを軸に生成AIのシェアを狙う

　Amazonは2023年に生成AIアプリケーション開発基盤Amazon Bedrock（ベッドロック）をリリースし、生成AIのプラットフォーマーとして、Microsoft、Googleと三つ巴のシェア争いの構図を形成しています。クラウドサービス業界シェア1位のAWSを擁することに加え、Amazon Bedrock上でAnthropic（アンスロピック）のClaude（クロード）シリーズなどの優れたLLMを使用できることも、同社の強みとなっています。

　2023年下旬にコーディング支援やデータ分析、可視化などが可能な生成AIサービス「Amazon Q」をリリースしました。Amazonの生成AI戦略は一般のビジネスユーザーではなく**開発者層に焦点を当てている**ともいわれており、この点がMicrosoftやGoogleとの戦略上の違いとなります。

▶ Meta：開発コミュニティと共に生成AI技術の発展を推進

　Metaが他のプレイヤーと大きく異なるのは、自社開発した製品の多くを**インターネット上で公開し、誰でも使用可能**にしていることです。生成AIの領域では、Metaが開発した高性能LLM「Llama2/3」（ラマ）が世界中の開発者によってダウンロードされ改良されています。

　長期戦略としてAIとメタバースという2つの技術領域に注力し、これらの融合を目指しています。2023年には多言語リアルタイム翻訳システム「Seamless」（シームレス）を公開しました。また、AIが人間世界の理解をサポートするRay-Ban Metaスマートグラスなどの新しいタイプのデバイス開発を進めています。

▶ Anthropic：高性能生成AI「Claude」でOpenAIを追随

　Anthropic は OpenAI の共同設立者によって設立された研究志向の企業です。同社の開発する LLM の Claude シリーズは、**OpenAI の GPT シリーズに匹敵する性能の高さ**で知られています。Claude シリーズは国際連合の世界人権宣言などを学習し、倫理的な回答を生成するように配慮されています。

　2023年から、Anthropic は **Amazon と戦略的な提携**を結んでいます。AWS を主要クラウドとして利用し、LLM の計算処理用の IC（集積回路）開発でも協業を進めています。また、Google とも提携を結び、2024年には Google の Vertex AI 上で最新の Claude 3 が使用可能となるなど、生成 AI 領域での影響力を強めています。

▶ Cohere：安全性重視の企業向けソリューションを開発

　Cohere（コーヒア）は重要論文「Attention Is All you Need」（53ページ）の著者の1人であるエイドリアン・ゴメスによって設立されたカナダの企業です。「すべての開発者と企業の製品開発を助け、言語 AI の真のビジネス価値を生み出すこと」をミッションに掲げ、その実現に向けて非営利ラボ「Cohere For AI」を設立し、**AI技術の研究と公開を推進**しています。

　Cohere は、**プライバシーやデータセキュリティを重視したエンタープライズ向けのソリューション**を開発しています。具体的な製品として、Cohere はプロダクション規模の RAG（82ページ）を実現するための LLM 群（「Command-R」「Embed」「Rerank」）や多言語対応の LLM「Aya」などを提供しています。

▶ Mistral AI：生成AIトップティアの一翼を担う欧州の雄

　Mistral AI（ミストラル）は Google DeepMind や Meta の元社員によって設立されたフランスの企業です。Mistral AI の提供する LLM の Mistral シリーズは、**最高クラスのオープンモデル**として知られています。2024年初頭に「miqu-1-70b」という謎の LLM がオープンモデルのプラットフォームで OpenAI の GPT-4 に迫る性能を示し話題となりましたが、そのモデルも実は Mistral AI が開発したものでした。

　2024年3月、OpenAI の GPT シリーズや Anthropic の Claude シリーズに匹敵する性能を持つ Mistral Large を**クローズドモデルとしてリリース**しました。OpenAIのビジネスモデルを踏襲するような動きを見せており、今後の動向が注目されます。

▶ Stability AI：多様な生成AIで人類の可能性を活性化

　Stability AIは「人類の可能性を活性化するための基盤を築くこと」をミッションに掲げるイギリスの企業です。2022年にStability AIが公開した画像生成AI「Stable Diffusion」は高品質なうえにWebから無料で利用できるため、**画像生成AIの活用を広める起爆剤**となりました。改良版が数多く作成されるなど、画像生成AIコミュニティの活性化にも貢献しています。

　高速の画像生成AI「SDXL Turbo」や画像合成と顔生成を強化した「Stable Diffusion XL」、学習の利便性に優れた「Stable Cascade」を公開するなど、画像生成AIの進化を推進しています。さらに、小型の文章生成AI「Stable LM」や音楽生成AI「Stable Audio」など、**多様なモダリティでの生成AIの民主化**を推し進めています。

▶ LINE：日本語LLM開発の先駆者

　LINEは2020年に**世界で初めて日本語LLMの開発を開始**し、2022年にはNAVERと共同で日本語LLM「Hyper CLOVA」を開発しました。このLLMはとくに会話の滑らかさやトピック追従の能力が高く、日本人工知能学会の対話システムライブコンペティションで1位を獲得しています。

　「Hyper CLOVA」と並行してLLMの研究開発プロジェクトを進め、2023年にはLINE独自の大規模日本語データベースで訓練された日本語LLM「japanese-large-lm」を発表しました。このLLMはインターネット上に公開されており、商用利用も可能なため、AI研究とビジネスアプリケーション開発の両面で、**日本におけるLLM利用を促進**すると考えられます。

▶ サイバーエージェント：日本語LLMで広告効果を最大化

　サイバーエージェントは日本語に強いLLMが少ない状況を改善するために、日本語LLM「CyberAgentLM」を開発し、商用利用可能なライセンスで公開しています。また、**生成AIで広告効果を最大化する「極予測AI」**などのサービスを提供しており、同サービスに「CyberAgentLM」を活用するなど、生成AIを活用した包括的な事業を進めています。

　2023年、同社はDell Technologiesと提携し自社のITインフラを強化しました。このインフラを利用して、今後も**生成AIを活用したデジタル広告の分野での事業を推進**し、影響力を拡大していくことが予想されます。

▶ オルツ：AIクローンによる「人類の労役からの解放」を目指す

オルツは日本のLLM開発の主要プレイヤーの１つで、**AIで個人の思考や知的スキルを再現するAIクローン**の開発を行っています。2023年には「LHTM-2」と呼ばれる独自のLLMを開発しました。また、個人のライフログを利用してLHTM-2を個性化させ、個人の思考の再現に成功したと発表しています。

また、業務の専門家の思考パターンをLLMに学習させることによって、**高品質の業務を高速かつ低コストで実現する**ことを支援します。たとえば、LHTM-2を議事録作成サービスやコールセンターサービスに活用することで、より精度の高い議事録の作成や、より自然でパーソナライズされた対話が実現できる可能性があります。

▶ NTT：LLMの集合知が社会課題を解決する世界を志向

NTTは40年以上におよぶ自然言語処理研究の蓄積と、世界でもトップレベルのAI分野の研究力を活かし、**小型でありながら高い日本語性能を持つLLM「tsuzumi」**を開発し、2024年3月に商用サービスを開始しました。tsuzumiは小型であるため、学習や推論のコストをChatGPTの数十から数百倍程度に軽減可能であり、さまざまな学習データを用いた柔軟なチューニングを行うことが可能といわれています。

単一の巨大LLMが存在する世界ではなく、**専門性や個性を持った小型のLLMの集合知が連携して、社会課題を解決する世界**を目指しています。そのため、tsuzumiのサービス展開では、固有なデータを柔軟に学習可能な点を活かし、まずは業界に特化した領域にフォーカスすることを発表しています。

▶ ELYZA：日本語LLMの研究開発と社会実装をけん引

ELYZAは日本語能力を強化したLLMの開発を進める日本の企業です。2024年3月に公開した「ELYZA-japanese-Llama2-70b」は、他の日本語LLMを大きく上回る日本語性能を持つと謳っています。LLMだけでなく、LLM評価データセット「ELYZA Tasks 100」を公開するなど、**日本のLLMコミュニティを活性化**しています。

「未踏の領域で、あたりまえを創る」をミッションに掲げ、自社の開発した日本語LLMの総称を「ELYZA LLM for JP」とし、利用促進のためのAPI提供に向けた開発を進めています（執筆時点）。2024年3月には、KDDIがELYZAの株式の半数以上を取得し、子会社化を進めることが発表されました。

AI活用のキーワードは「業務効率化」と「価値創出」

▶「業務効率化」「価値創出」の2軸に分類

　生成AIの導入がビジネスの世界で注目されていますが、重要なのは**「AI活用はある目的を果たすための手段である」**と捉えることです。具体的な事例は、第5章で掘り下げていきます。

　図表2-8-1は、AI活用の目的を「業務効率化」と「価値創出」という2つの軸に分けて、フロントオフィスとバックオフィスを加えた四象限で図示したものです。生成AIの導入は、バックオフィスの効率化からスタートしましたが、いまやフロントオフィスでの顧客との直接的なやり取りを変革し、新たな価値を創出する段階に入っていると考えられます。図表2-8-2は各領域に対する生成AIの活用事例です。

図表2-8-1　AI活用を業務の目的別に分類

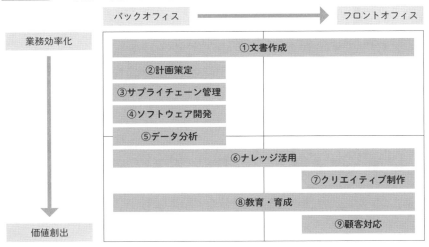

図表2-8-2 ▶ AI活用を業務の目的別に分類

①文書作成（業務報告書の自動作成）

AIを活用して、業務データや会議の議事録から自動的に報告書を生成。これにより、従業員は報告書作成にかかる時間を削減し、他の業務に集中できるようになる

②計画策定（出張管理システムによる自動化）

生成AIを活用した出張管理システムでは、従業員の出張ニーズに基づいて、飛行機やホテルの予約、スケジュールの最適化などを自動的に行う。また、最も効率的かつコスト効果の高い出張プランを提案する

③サプライチェーン管理（在庫最適化）

AIが需要予測やサプライチェーンの状況を分析し、最適な在庫レベルを算出。これにより、過剰在庫や品切れのリスクを低減し、コスト効率を向上させる

④ソフトウェア開発（コード自動生成）

ユーザーの要件を自然言語で入力すると、AIがそれに応じたプログラムコードを生成する。これにより、開発時間の短縮やエラーの減少が期待できる

⑤データ分析（自動データ解析とレポート生成）

膨大なデータから重要なインサイトを抽出し、理解しやすい形式でAIがレポートを自動生成。そのため、意思決定プロセスを迅速かつ精度高く行えるようになる

⑥ナレッジ活用（ナレッジベースの自動更新）

最新の情報や文書を分析し、企業のナレッジベースを自動的に更新することで、つねに最新の情報が共有され、アクセス可能になる

⑦クリエイティブ制作（広告コンテンツの生成）

製品やターゲットオーディエンスに関する情報をもとに、AIが魅力的な広告コピーを生成。これにより、クリエイティブなアイデアの生成を加速し、効果的なマーケティング活動を支援する

⑧教育・育成（パーソナライズされた学習コンテンツ）

学習者のレベルや進捗に応じて、AIがカスタマイズされた教材やテストを生成し、個々の学習者に合わせた効果的な学習経験を提供する

⑨顧客対応（AIチャットボットによる顧客サポート）

顧客からの問い合わせに対し、AIチャットボットが即座に対応し、関連する情報を提供。これにより、顧客満足度を向上させるとともに、サポート業務の負荷を軽減する

生成AI活用の必須スキル、プロンプトエンジニアリング

自然言語から結果を導き出すプロンプトエンジニアリング

生成AIは、入力されたプロンプト（自然言語による指示）に対してタスク（生成結果）を実行します。このプロンプトを最適化し、**より望ましい回答を引き出す手法**をプロンプトエンジニアリングといいます。

ここでは、代表的なプロンプトエンジニアリングのテクニックをいくつか取り上げ、特徴や用途などを説明します。プロンプトエンジニアリングによって、生成AIのポテンシャルを引き上げた活用が可能になり、**生成AIアプリケーションを開発するうえでも必須の知見**となっています。

図表2-9-1 プロンプトエンジニアリングの各手法

手法	説明	適用ケース	長所	短所
Zero-shot prompting	新しいタスクを特別な準備なしで実行する方法	迅速な応答が求められる一般的な質問に適している	事前準備なく、速やかに多様なタスクに対応可能	回答の正確さが不安定になることがある
Few-shot prompting	少数の事例を見せて、それをもとに新しいタスクを実行させる方法	特定の領域での回答品質を改善したい場合	少数の例から効果的に学習し、品質を向上	具体例が必要で、事例の選定に労力がかかる
Chain of Thought prompting	複雑な問題を解く手順を示すことで、複雑な問題に取り組ませる方法	複雑な問題や回答が複数の手順を必要とする場合	複雑な問題でも段階的に解決可能	手順の検討が必要で準備に時間がかかる

▶ プロンプトエンジニアリングの実例

　私たちはふだん、とくに意識せずに生成AIに対して質問や指示を入力していますが、誤った回答や的はずれな回答が得られることがあります。そういう場合は入力時点でいくつか回答例を与えてみましょう。すると、生成AIはそのパターンを学習して回答を生成します。

　図表2-9-1のうち、Zero-shot promptingは事例を与えない、いわば基本のプロンプトです。そしてFew-shot promptingはいくつかの事例を与えたもの、最後のChain of Thought promptingは、思考プロセスを例示することでより複雑なタスクの実行を可能にするものです。それぞれ表にあげたようなメリットやデメリットがあるため、適用ケースを参考にしながら使ってみてください。

　それでは、具体例を見ていきましょう。

▶ Zero-shot prompting

　Zero-shot promptingは、**新しいタスクに対して、事例を与えることなく実行する手法**を指します。この手法では、プロンプトが特定のタスクを明確に説明し、モデルがその説明だけをもとにタスクを実行します。たとえば、「この文章はポジティブな感情を表していますか、ネガティブな感情を表していますか？」というプロンプトを使用して、文章の感情分析を行うことができます。

● You
この文章はポジティブな感情を表していますか、ネガティブな感情を表していますか？どちらかを端的に回答してください。
文章：生成AIは可能性に満ちた技術である
感情：

● ChatGPT
ポジティブ

Few-shot prompting

Few-shot promptingでは、**モデルに少数の事例（たとえば3〜5件）を提供**し、それらの例をもとに新しいタスクを学習させます。これにより、モデルは提供された例からパターンを把握し、未知のデータに対しても類似のタスクを実行することができるようになります。

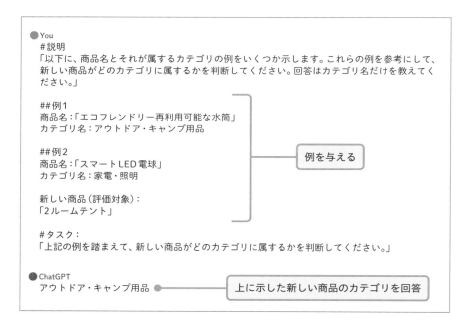

- You
  #説明
  「以下に、商品名とそれが属するカテゴリの例をいくつか示します。これらの例を参考にして、新しい商品がどのカテゴリに属するかを判断してください。回答はカテゴリ名だけを教えてください。」

  ##例1
  商品名：「エコフレンドリー再利用可能な水筒」
  カテゴリ名：アウトドア・キャンプ用品

  ##例2
  商品名：「スマートLED電球」
  カテゴリ名：家電・照明

  例を与える

  新しい商品（評価対象）：
  「2ルームテント」

  #タスク：
  「上記の例を踏まえて、新しい商品がどのカテゴリに属するかを判断してください。」

- ChatGPT
  アウトドア・キャンプ用品

  上に示した新しい商品のカテゴリを回答

Chain of Thought（CoT）prompting

Chain of Thought（CoT）promptingは、より複雑な推論や問題解決タスクに対して、**中間ステップや推論プロセスを明示的に示す**ことで、モデルが最終的な答えを出すのを助ける手法です。また、**例示なしで、「ステップバイステップで考えましょう」**とだけ指示する手法（Zero-shot CoT）もあります。このアプローチにより、モデルはより複雑な問題を段階的に解決することが可能になります。

● You
#説明
「あなたは果物屋で働いています。店にはリンゴが30個、オレンジが20個ありました。その日のうちに、リンゴを10個とオレンジを5個売りました。現在、店にはリンゴとオレンジがそれぞれ何個ずつありますか？」

思考ステップ ●────　［参考となる思考プロセスを示す］
リンゴの初期数を確認する：店には最初、リンゴが30個ありました。
リンゴの販売数を引く：その日にリンゴを10個売ったので、30個-10個＝20個のリンゴが残っています。
オレンジの初期数を確認する：店には最初、オレンジが20個ありました。
オレンジの販売数を引く：その日にオレンジを5個売ったので、20個-5個＝15個のオレンジが残っています。

結論
「現在、店にはリンゴが20個、オレンジが15個あります。」

タスク ●────　［実行させたいタスクを示す］
上記の説明と思考ステップをもとに、問題を解いてください。
店にはリンゴが50個、オレンジが10個ありました。その日のうちに、リンゴを30個とオレンジを9個売りました。現在、店にはリンゴとオレンジがそれぞれ何個ずつありますか？

● ChatGPT
問題を解くための思考ステップを踏襲しましょう。

1. リンゴの初期数を確認する：店には最初、リンゴが50個ありました。
2. リンゴの販売数を引く：その日にリンゴを30個売ったので、50個-30個＝20個のリンゴが残っています。
3. オレンジの初期数を確認する：店には最初、オレンジが10個ありました。
4. オレンジの販売数を引く：その日にオレンジを9個売ったので、10個-9個＝1個のオレンジが残っています。

結論：現在、店にはリンゴが20個、オレンジが1個あります。

◗ AIのビジネス活用を最適化する重要なツール

　プロンプトエンジニアリングは、日々研究がなされ進化しています。そして、これらはビジネスにおけるAIの活用を最適化するための重要なツールです。

　Zero-shot、Few-shot、そしてCoTのような手法を理解し、適切に適用することで、生成AIを用いてより複雑な問題を効率的に解決できるようになります。また、プロンプトエンジニアリングのテクニックを公開しているサイトも数多くありますので、ぜひ探して多くの手法を学習してみてください。

Column

身体性を獲得したAIは、強いAI（AGI）を実現するのか？

　AIが肉体を持つこと（AIの「身体性」）はAGI（強いAI：汎用人工知能）の実現に向けて重要と考えらます。ここでいう「肉体」とは、実世界の情報を知覚する視覚や聴覚などに該当する機能や、声を出したり物を動かしたりして実世界に働きかけるための機能をいいます。生成AIのマルチモーダル化の流れは、生成AIが実世界を知覚したり作用したりする領域を拡大していく、肉体獲得の過程と捉えることもできます。そして肉体を持ったAIは、実世界を具体的に理解してさまざまなタスクを実行する（「汎用性を持つ」）ことや、その経験を通じて知識やスキルを深める（「自己進化できる」）こと、すなわち**AGIの条件を満たす可能性がある**と考えられます。

　2024年3月13日、OpenAIと提携するAIロボティクスベンチャーが1本の動画を公開しました。動画中では、同社のヒューマノイドロボット「Figure 01」が台所のような場所で人間と会話しています。「いま、何が見えますか？」という質問に対して、Figure 01は「テーブルの真ん中のお皿に乗った赤いりんご、カップとお皿が乗った水切りラック、そしてあなたがテーブルに手を置いて立っているのが見えます」と周囲の状況を正確に説明します。さらに、「何か食べ物をもらえますか？」という要求に対し、テーブルの上にある唯一の食べ物であるりんごを要求者に手渡します。このように、Figure 01は、**視覚や聴覚を通して周囲の様子や人間の要求を理解し、実際に物を動かしてタスクを実行**できます。

　筆者はこの動画を観て、GPT-4Vが出てまだ半年にもかかわらず、AIの肉体獲得の過程がさらに大きく進んだという印象を受けました。49ページで「AGIは実現していない」という意見を書きましたが、生成AIの進歩の速度はとても速く、本書が刊行されるころには筆者の意見も変わっているかもしれません。（久保田）

AIを導入＆開発するために必要なこと

第2章では生成AIの基本概念や技術的背景などを詳しく見てきました。第3章ではこれらの知識をもとに、AIシステムを提供する側の目線で、AI開発の基本プロセスの理解から組織体制の構築、AI利用に伴う規制やリスクの管理までを解説し、実用化へと進める方法を掘り下げます。これらの知識は生成AI導入の際の指針として、エンジニアでなくても理解することが重要です。

7つのプロセスで理解する
生成AI導入＆開発のポイント

図表3-1-1 業務への導入検討から運用までの流れ

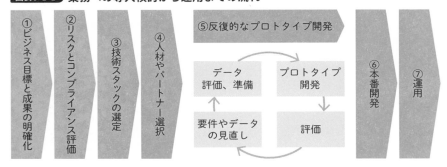

① ビジネス目標と成果の明確化
② リスクとコンプライアンス評価
③ 技術スタックの選定
④ 人材やパートナー選択
⑤ 反復的なプロトタイプ開発

データ評価、準備 → プロトタイプ開発
要件やデータの見直し ← 評価

⑥ 本番開発
⑦ 運用

▶ 目標設定から運用までの7つの大きな流れ

　生成AIを企業に導入し、ビジネス活用するまでの流れの概要を見ていきましょう（図表3-1-1）。各々の詳細は、以降の節で説明します。

① ビジネス目標と成果の明確化

　生成AI技術の導入は、技術への投資という側面以上に、企業成長の鍵と捉えることが肝要です。そのため、導入にあたっては戦略的な視点でビジネス目標と成果を明確に定義しましょう。**企業全体の方向性と連動し、具体的かつ測定可能なビジネス成果を設定**することがこのプロセスの核心です。目標には、「生産プロセスの効率を20％改善する」などといった、明確で実現可能なKPIを含めるべきです。また、その成果を実現するためのユースケースを具体的に選定します。

② リスクとコンプライアンス評価

　生成AIアプリケーション開発が直面する可能性のあるデータプライバシー、セキュ

リティおよび規制遵守に関するリスクを理解し、評価します。この段階でリスクを特定し対処計画を立てることで、企業は法的問題を回避しプロジェクトの安全な進行を保証できます。一度だけ評価するのではなく、以降のプロトタイピングで扱うデータが見直されたり、本番開発をするうえでも**継続的に評価し続けることが必要**です。

③技術スタックの選定
　リスクとコンプライアンスの評価が終わったら、必要な技術スタック（開発環境やソフトウェアなど）を選定します。たとえば、生成AIアプリケーションの開発には、クラウドサービスが提供する基盤モデルの利用や、DB（データベース）や検索エンジンとオープンソースソフトウェア（OSS）の利活用が必要になります。生成AI関連の技術革新は早く、以降のプロトタイピングでも**継続的に技術スタックの見直しが必要になる場合**があります。

④人材やパートナー選択
　③に併せて、適切な専門知識を持つ人材やビジネスパートナーの選定を行います。この段階では、プロジェクトの各フェーズに必要なスキルセットに基づき、**内部リソースまたは外部パートナーを適切に配置**します。

⑤反復的なプロトタイピング
　ここからが開発のプロセスとなります。まずはプロトタイプ（試作モデル）を作成し、改善を重ねていきます。これを本書では「反復的なプロトタイピング」といいます。このプロセスを通じて**継続的にデータを評価・準備し、小規模な実験で初期プロトタイプをテストしてフィードバックを収集**します。こうして精度の課題を明らかにしつつ、性能を段階的に向上させ効率的に開発することが可能になります。

⑥本番開発
　プロトタイピングのフィードバックに基づき、本番開発を行います。ここで、**スケーラビリティや性能の評価を含め、将来的な拡張性も考慮**します。

⑦運用
　生成AIアプリケーションの運用を開始し、**回答精度の監視やデータの定期的な更新**を行いながら、ビジネス目標達成に向けたメンテナンスと改善を継続的に実施します。

生成AIを戦略的成長の中心に据える

▶ 目標設定から戦略の策定

　生成AIを企業戦略の一環として導入する際には、会社全体の視点から大局的な目標設定を行うことが重要です。これには、企業が直面する課題の特定、生成AI技術によって解決または改善を目指す具体的なビジネスプロセスの選定が含まれます。目標設定にあたっては、図表3-2-1の手順を推奨します。

図表3-2-1 目標設定から戦略策定までの流れ

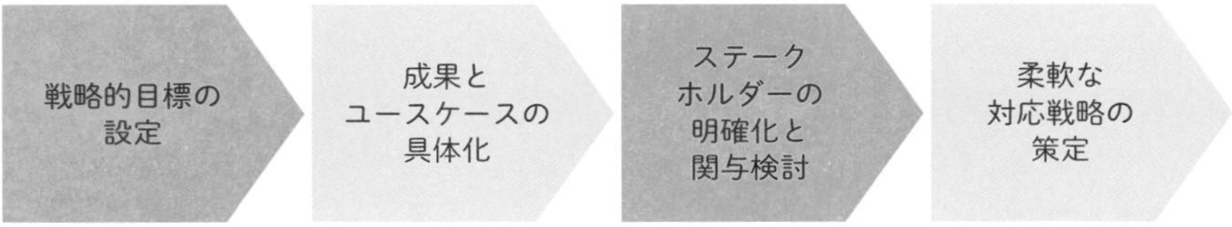

戦略的目標の設定 → 成果とユースケースの具体化 → ステークホルダーの明確化と関与検討 → 柔軟な対応戦略の策定

▶ 戦略的目標の設定

　企業が直面する課題を特定し、**生成AIの導入により達成したい具体的な目標**を、企業の全体戦略との連携のもとで設定します。これらの目標には、市場での競争優位の確立、顧客体験の向上、新規市場開拓などが含まれます。目標設定に際して、以下の考慮事項を検討することが重要です。

①**現状分析と課題の特定**：現在の業務プロセスや市場ポジションを詳細に分析し、**解決したい課題を明確に**する
②**企業全体戦略との整合性**：生成AIの導入が**企業全体のビジョンやミッションと整合していることを確認**し、長期的な成長戦略や競争優位性の強化にどのように貢献するかを明確にする
③**市場動向と競争環境の評価**：業界全体のトレンドや競合他社の動向を分析

🔸 成果とユースケースの具体化

　次に、目標達成によって期待される具体的な成果とそれを実現するためのユースケースを定義します。ユースケースを選定する際には、**類似業界や競合他社が導入しているAIアプリケーションの具体的な事例を参考にすると効果的**です。これにより、戦略的な意思決定を支援し、投資対効果（ROI）の仮説を立てることが可能になります。たとえば、社内プロセスの効率化を目指す場合、「問い合わせ対応に要する時間を現在の平均から30%削減し、月間の問い合わせ解決件数を20%増加させる」といった形で、目標を定量的な指標で具体化します。これにより、目標達成のための具体的な方針が明確になります。

🔸 ステークホルダーの明確化と関与検討

　ステークホルダー（課題に直面している部署のマネージャーや実務を担当する従業員）からのフィードバックを積極的に取り入れます。フィードバックの例として、ワークショップ、アンケート、個別ミーティングなどがあげられます。現場ごとに最適なものを選ぶとよいでしょう。**フィードバックにより期待とニーズを理解**することで、実現可能かつ価値のある目標設定を目指します。これは、**組織全体でのサポート獲得と目標達成へのコミットメント強化**に寄与します。

🔸 柔軟な対応戦略の策定

　市場や技術の変化に対応できるよう、目標には適度な柔軟性を持たせるべきだと考えます。**生成AIを取り巻く市場や技術的な進化はあまりにも速い**ため、変化があった際の目標や要件の見直し、調整を行うプロセスを設けることも重要です。

　ときには技術的なブレイクスルーが発生し、それまで着手していたプロトタイプ開発や本番開発を止めるといった判断もあるかと思います。そういった場合のためにも、**定期的な戦略レビューセッションの実施や、変化を迅速に把握するための技術調査チームの設置などの必要性**が考えられます。これにより、企業は変化するビジネス環境に迅速かつ効果的に対応できます。

　このように、ビジネス目標と成果を明確にすることで、生成AIの導入が単なる技術的な試みではなく、企業の持続的な成長と発展に資する戦略的な取り組みとなります。

国内におけるAI関連ガイドラインと世界的な規制動向を知る

▶ リスクを意識し、事業の信頼と持続可能性を高める

生成AI技術の導入は企業にとって、効率向上や新たなビジネスモデルの創出といった利益をもたらす一方で、データプライバシー、セキュリティ、規制遵守の面で多くのリスクを伴います。生成AIによるリスクを正確に評価し、適切な対策を講じることは、企業の信頼性と持続可能性を確保するうえで不可欠です。

グローバル市場に進出する日本企業は、EUのAI規制法など、法規制やガイドラインへの準拠や考慮が必要になります。これらの規制は、**プライバシー保護、データセキュリティ、透明性、公正性を含む生成AI技術に関連する基準やガイドライン**を設けています。複数国で事業を展開する際には、各国の法律やガイドラインに対する考慮が必要になります。

国内向けにサービスを提供する企業も、将来の法規制の変更に備える必要があります。**国際的な規制動向を注視し、先行して対策を講じる**ことで、法改正への迅速な対応が可能になります。データプライバシーとセキュリティの問題は国内外を問わず消費者の関心が高く、明確な個人情報の取り扱いポリシーとその実行が求められます。

企業は、国際的なトレンドを踏まえつつ、国内の文化や価値観に合ったAI技術の利用と展開を目指し、これらの課題に対応するための戦略を策定することが重要です。

Point

Google傘下のYouTubeでは、生成AIで編集または生成された動画は、明確にラベルで示すことを義務付けています。この規定に従わないクリエイターは、コンテンツの削除やYouTubeからの罰則を受ける可能性があります。これは、消費者に対する透明性を高めるとともに、誤情報の拡散を防ぐための措置です。

 生成AI動画への明確なラベル付けで誤情報の拡散を防止

図表3-3-1 **各国の規制動向**

地域	規制名	概要
日本	AI事業者向け ガイドライン	2024年4月19日、総務省と経済産業省は「AI事業者ガイドライン」を発表。このガイドラインは、AI開発者、AI提供者およびAI利用者が対象であり、生成AIに関連する知的財産権の侵害や偽情報の生成など、新たな社会的リスクへの対応を目的としている。ガイドラインはこれらの主体が基本理念（＝Why）を理解し、その理念に基づいてAIに関連する取り組みの指針（＝What）を明らかにし、具体的な実践方法（＝How）を検討、実践することを支援。**ガイドラインは具体的な事例として参照可能な内容を提供**している。これにより、国際的な動向やステークホルダーの懸念を踏まえたうえで、リスクの適切な認識と**自主的な対策の実施を企業が推進**できるよう支援することを目指している
米国	AI権利章典の ための青写真	AIの時代において、市民の権利を保護するための方針を提示している。この計画では、AIシステムの安全と公正さ、プライバシー保護、透明性の確保、人間による操作の選択肢を含む5つの基本原則を提案しており、AI技術に伴うリスクやバイアスに対処することを目指している
米国	AI企業各社の コミットメント	ホワイトハウスの公式声明では、バイデン政権がAIのリスクを管理するために主要AI企業から自主的なコミットメントを得たことを発表している。これらは、AI技術の安全性、セキュリティ、信頼性に重点を置き、責任あるAI開発の方向性を示している
EU	AI規制法	AIシステムおよびAIサービスがリスクベースアプローチで分類され規制される。**この規制はEU域内向けにAIシステムやAIサービスを提供する全企業に適用**され、AIの安全性と透明性を高め、ユーザーの権利を保護することを目的としている。同年5月に最終承認され、2026年に完全適用される見通しとなっている
中国	生成AIサービス 管理暫定規則	文章、画像、動画などを生成するAIサービスに適用され、社会主義の価値観を守り、国家の転覆、差別、プライバシー侵害などを防ぐ内容を含んでいる。サービス提供者は、違法な内容を発見した場合にはその拡散を止めて削除するなどの対策を講じることが義務付けられ、違反した場合には処罰される可能性がある。2023年8月15日から施行
G7 サミット	広島AIプロセス	2023年12月に行われたG7デジタル・技術大臣会合にて、「広島AIプロセス」が議論され、生成AIに関するG7の理解を深めるためのOECDレポート、すべてのAI関係者および高度なAIシステムを開発する組織向けの国際指針と行動規範、プロジェクトベースの協力についての成果が報告された。これらの取り組みは、偽情報やプライバシー侵害、知的財産権の侵害といった具体的リスクに対処し、AIの安全性を推進するための国際的な技術標準を整備することを目指している

生成AIの利活用における法的・倫理的リスクを知る

📖 知財や倫理的な問題など、各方面のリスクへの対策

　ここまで見てきたように、生成AIは新しい機会を創出しています。しかし、この技術は、知的財産権の侵害、個人データの不適切な利用、秘密情報の漏えい、誤情報の使用、バイアスによる差別といったリスクを含んでいます。また、診断や非弁行為など、AIが行うことで法律違反になるケースもあります。これらのリスクを効果的に管理するためには、生成AIを利用する段階での大きな2つのプロセス（図表3-3-2）におけるそれぞれのリスクを理解し、対策を講じることが不可欠です。

📖 生成AIの2つのプロセスとそれに関連するリスク

①プロンプト入力段階

　生成AIにタスクを指示するために、ユーザーがプロンプトを入力します。この段階では、入力される情報が著作権に抵触していないことや、秘密情報が適切に取り扱われていることの確認がとくに重要です。OpenAIやMicrosoftなど、主要なAI企業が提供している生成AIを利用する場合などに、入力したデータが学習に利用されない設定や、使用履歴が保存されない設定も可能です。情報漏えいリスクをできるだけ避けるように、社内での利用ルールやガイドライン策定も重要です（図表3-3-2）。

②出力されたアウトプットの利用段階

　生成AIによって出力されたコンテンツがユーザーによって利用されます。ここで考慮すべき法的リスクには、出力されたコンテンツの著作権、特定の業界に関連する法規制の遵守が含まれます。また、生成されたコンテンツに誤情報が含まれていないかを確認することも大切です（図表3-3-3）。

図表3-3-2 生成AI「利用」における2つのプロセス

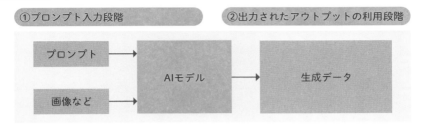

図表3-3-3 生成AI「利用」における6つの法的・倫理的リスク

法的・倫理的リスク	プロセス	具体例
知的財産権の侵害	①などのデータ入力段階	他人の著作物を含むデータを著作者の許諾なく扱い、知的財産権を侵害する可能性
個人情報の不適切な利用	①などのデータ入力段階	自社のデータに含まれている個人情報を不適切に利用し、個人情報保護法に違反する
秘密情報の漏洩	①などのデータ入力段階	自社の機密情報や極秘情報を誤って入力してしまうと、不正競争防止法上の営業秘密でなくなってしまう恐れが生じる
誤情報の利用	②のデータアウトプット段階	ハルシネーションなど、生成AIが誤った情報を出力し、事実と異なる情報を利用してしまう
フェイクニュースの流布やマルウェアコードの配布など不適切な利用	②のデータアウトプット段階	フェイクニュースなどを生成し流布することで、他人の名誉や信用の毀損、業務妨害になる可能性がある。また、マルウェアなどのコードを作成し流布すると、不正アクセス禁止法などに抵触する恐れがある
各種業法の違反	②のデータアウトプット段階	弁護士法や医師法などに違反する可能性。たとえば、弁護士でないにもかかわらず、チャットボットなどで法律相談を行い、非弁行為として罰則を受ける可能性

　なお、本書ではこれらの詳細には触れませんが、利用者は自己のリテラシーを高め、社内ガイドラインを制定することで法的リスクへの意識を高めるべきです。さらに、**法律の専門家の助言を求めて、各ケースに合わせた適切な導入と運用を図る**ことが推奨されます。

既存のサービス開発から 生成AI開発を理解する

生成AI開発を支える重要な技術スタック

　生成AIを用いた開発ノウハウの詳しい説明に入る前に、生成AIアプリケーション開発で必要となるフェーズと技術スタック（IT技術などの組み合わせ）を知りましょう。ここでは、社内にある「業務マニュアル」など独自データを活用したAIチャットボットを例に、どのようなフェーズを経て、どのようなコンポーネント（一つひとつの技術）が必要になるかを紹介します。

図表3-4-1 技術スタックの構成

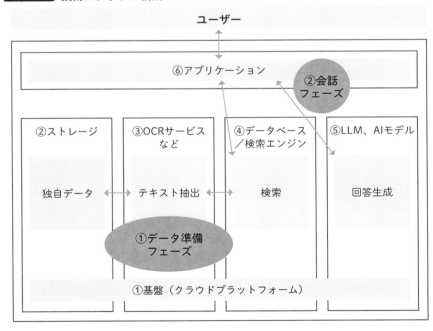

図表3-4-2 **2つのフェーズと6つのコンポーネント**

フェーズ	内容
①データ準備フェーズ	企業が保有するデータをOCRなどのテキスト抽出サービスを利用してテキスト化、そして構造化し、会話フェーズで活用するデータベースの準備を行うフェーズ
②会話フェーズ	準備されたデータをもとに、生成AIモデルを使用して、ユーザーの質問に対する回答を生成。このフェーズでは、データベースと検索エンジンが中核を成し、適切に情報を取り出すための技術が必要

コンポーネント	内容
①基盤（クラウド・プラットフォーム）	高い可用性と拡張性に優れたアプリケーションを構築するうえで、クラウドプラットフォームの利用が重要な選択肢となる。詳しくは84ページ「運用プラットフォームはクラウドを軸に選定する」で解説
②ストレージ	企業独自のデータやシステムで生成されたデータを安全に保管するための場所
③OCRサービスなど	ファイルストレージなどに保管された文書からテキストを抽出し、生成AIアプリケーションで活用しやすく、検索しやすい形式のデータに変換。詳しくは100ページ「生成AIの回答精度を左右するデータ準備プロセスのポイント」で解説
④データベース／検索エンジン	抽出したテキストデータは、検索可能な形式でデータベースに格納される。このデータベースは、生成AIアプリケーションでの独自データを活用する際の中核的な機能の位置づけになる。詳しくは88ページ「検索エンジン選定における5つのポイント」で解説
⑤LLM、AIモデル	生成AIアプリケーションの核となるLLM。これにより、ユーザーからの質問に対して、関連する情報をもとにした質の高い回答を生成。詳しくは86ページ「ベンダーごとのLLM基盤を比較する」で解説
⑥アプリケーション	最終的にこれらすべてのコンポーネントを統合し、ユーザーインターフェースを提供するものがアプリケーション。独自データを扱い、高精度な処理を行う際は、RAG（Retrieval Augmented Generation）という技術を活用する。詳しくは、82ページ「生成AIの精度を高める技術「RAG」を理解する」で解説

Chapter 3　AIを導入&開発するために必要なこと

3.4 技術スタックの選定

生成AIの精度を高める技術「RAG」を理解する

▶ 独自データを活用するための技術

　企業独自のデータを生成AIで活用する際に重要なのが**RAG（Retrieval Augmented Generation）**です。一般に、ChatGPTのような生成AIは過去に学習したデータに基づいて回答するため、回答の鮮度や正確性が低い可能性があります。また、特定分野や専門的なトピックに関しては、限定的な回答しかできないことがあります。RAGは、このような**生成AIの限界を補う技術**です。

図表3-4-3 生成AIのみとRAGを活用した場合の比較

	生成AIのみ	生成AIとRAGの活用
データの鮮度	低	高
正確性	低	高
特定分野への適用性	限られている	適用可能

　図表3-4-3は、生成AIのみ利用した生成AIアプリケーションと、RAGを活用した生成AIアプリケーションの違いです。これは、生成AIに回答をさせる前段での、外部の情報を検索する機能の有無だけの違いとなります。RAGを利用した処理の流れは次の通りです。

1. ユーザーが質問をする
2. 質問内容をもとに検索エンジンなどから情報を検索し、結果を得る
3. 検索結果と質問内容を生成AIに送信する
4. 生成AIが回答を生成する
5. ユーザーは質問に対して回答を得る

RAGによって実現できる効能の例は以下の通りです。

①**データの鮮度の向上**：情報取得する際に、動的に検索し情報収集するため、データベース（DB）に格納されている**最新情報をもとに回答**が可能
②**正確性の向上**：情報検索した結果をもとに回答を生成させるため、正確性を高められる。ただし、**誤った検索結果が誤った回答につながる点は注意**が必要
③**特定分野への適用性の向上**：企業独自で保持している詳細な情報をもとに、**社内FAQや専門的なナレッジに基づいた回答を生成**可能

　非常にシンプルに見えるこのRAGという技術ですが、多くのユースケースを支えます。今後、ますます応用的な活用が広がると考えられます。

図表3-4-4 一般的な生成AI利用と、RAGを活用した生成AI利用の処理の違い

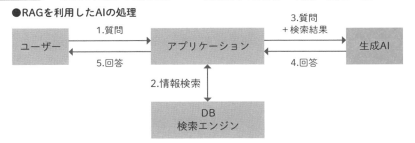

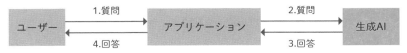

Point

　LLMは、事前に大量のデータを用いて学習されています。それは、特定の日付以降の情報を持っていないことを意味します。たとえば、2023年12月までのデータを用いて学習された生成AIモデルは、2024年の出来事やトレンドについて認識していません。このことを「ナレッジカットオフ」とも呼びます。

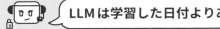 **LLMは学習した日付よりあとの情報を持たない**

運用プラットフォームは クラウドを軸に選定する

▶ 運用プラットフォームや生成AIモデルを吟味する

AIを導入する（LLMを活用したアプリケーション構築を行う）ためには、その構築や運用のプラットフォーム、生成AIモデルの選定が必要です。具体的にどんなサービスがあるかは次項にて解説します。ここではプラットフォームの基礎知識を身につけましょう。

プラットフォームとは何か？　〜生成AIアプリケーションを支える土台〜

まず、生成AIアプリケーションの構築には、それを支える強固な「土台」が必要です。この土台とは、AIを動かすためのプラットフォームやツールのことを指し、私たちが建物を建てる際の基礎と同じく、プロジェクトの成功には欠かせない要素です。**基盤技術の選定は、アプリケーションの性能、安全性、そして将来の拡張性に直接影響**します。

プラットフォームに求められる運用性・拡張性・セキュリティ

AIアプリケーションは、膨大なデータを処理し、複雑な計算を行います。そのため安定して高速に動作する確かな基盤が必要となります。たとえば、クラウド事業者が提供するプラットフォームを使うことで、自前で用意することなくその基盤を利用できます。また、ビジネスが成長するにつれて、アプリケーションも進化し、より多くのデータ処理が必要になるでしょう。プラットフォームを利用していれば、規模に合わせて柔軟に拡張できるのもメリットです。そして重要なのがセキュリティです。前述の通り、データの漏えいはビジネス上の大きなリスクです。プラットフォームを使う際は、データを安全に保管し、管理できることが大前提になります。

プラットフォームの利用形態を知る

　プラットフォームには、クラウドサービスを使うか自社内の基盤を使うかといった利用形態によりいくつかの種類があります。まず、クラウド事業者が提供するサービスのみでプラットフォームを構築する形態をパブリッククラウドといいます。たとえばMicrosoft AzureやAWSといったサービスは、機械学習ツールを提供し、データの準備からAIモデルの訓練、アプリケーションの公開まで、一連のプロセスをクラウド上で完結できます。**大規模なデータ処理や高い拡張性が必要となるLLMアプリケーションの場合は、パブリッククラウドが有力な選択肢**です。

　また、複数のクラウドサービスを組み合わせるマルチクラウドという形態もあります。たとえばAzure OpenAI ServiceをバックエンドにしてAWSでホスティングされるアプリケーションを実行するなど、適材適所で異なるクラウドを組み合わせて利用します。

　これに対して、企業が自身の施設内にデータセンターを持ち、完全に自己管理する形態をオンプレミスといいます。データを外部に送る必要もなく、カスタマイズの自由度も高いのが特徴ですが、初期投資が高くなります。

　そしてクラウドとオンプレミスを組み合わせたのがハイブリッドクラウドです。重要なデータは自社で管理することでセキュリティを担保しつつ、クラウドの柔軟性を得られるのが特徴です。

図表3-4-5 各クラウドでの比較

パターン	パブリッククラウド マルチクラウド	ハイブリッドクラウド	オンプレミス
拡張性	高	中～高	低
コスト効率	利用料に応じて変動	比較的高い	高い初期投資が必要
セキュリティ	プロバイダ依存	自社とプロバイダのバランス	自社で完全管理
導入のしやすさ	容易（API経由でアクセス可能）	複雑（オンプレミスとクラウドの統合が必要）	時間とリソースが必要
データ管理	プロバイダに依存	自社とプロバイダのバランス	自社で完全管理

ベンダーごとのLLM基盤を比較する

● 三大クラウドベンダーのLLM基盤を理解する

パブリッククラウドベンダーのなかで、Microsoft Azure、GCP（Google Cloud Platform）、AWSを三大クラウドと呼びます。ここでは、三大クラウドベンダにおける、LLM基盤について比較します。MicrosoftはOpenAIと業務提携してAzure OpenAI ServiceとしてGPT-4などのLLMを提供することで注目されました。GCPはVertex AIを通じてLLM基盤を提供します。BigQueryなどの代表的なツールでのデータ分析もできるようになります。AWSはAmazon BedrockというLLM基盤を提供し、豊富なサービスとの統合も図れます。

図表3-4-6 各ベンダーでの比較

クラウドベンダー	Azure	GCP	AWS
AIプラットフォーム	Azure OpenAI Service	Vertex AI	Amazon Bedrock
利用可能なモデル	GPT-3.5 GPT-4など	Gemini Claude 3 Gemmaなど	Claude 3 Titan Llama3など
エコシステム	Microsoft 365	BigQuery Google Workspace	AWSの広範なサービス
代表的なChatシステム	Microsoft Bing	Gemini	Amazon Q
総合	Microsoft製品との統合により、ビジネスアプリケーションとAIの融合が容易。また、安全性と信頼性の高いエンタープライズ環境に最適化されている	Google製品との統合が容易で、強力な検索エンジンを組み合わせた開発が可能。また、BigQueryとの連携により、大規模なデータセットの分析に強みを持っている	AWSの広範なサービスとの統合により、多様なビジネスニーズに対応可能。とくに、データストレージやコンピューティングリソースの豊富さが特徴

適切なプラットフォームの選定だけでなく、最適なAIモデルの選定も非常に重要です。**モデルの選定は、必要とされる精度、扱うコンテキストウィンドウサイズ、コスト、そして利用可能なデータの種類や処理速度**などに基づいて行われます。

主要なAIモデルで比較検討する

図表3-4-7は、2024年5月時点で利用可能な、主要文章生成AIモデルの特徴を比較したものです。コンテキストウィンドウサイズは、AIモデルに入出力できるトークン数の上限です。トークンとは、生成AIモデルが扱うデータの最小単位です。性能比較は参考としてW&B Japanによる評価サイト（Nejumi LLMリーダーボードNeo）のデータを記載します。**コストについても記載していますが、最新の情報は各社の公式サイトを確認いただくことを推奨**します。

図表3-4-7 各AIモデルの比較

モデル名	提供元	コンテキストウィンドウサイズ	コスト (per 1000 token)	性能
GPT-3.5	OpenAI	16,385	Input $0.0005 Output $0.0015	0.6701
GPT-4	OpenAI	Input 128,000 Output 8,192	Input $ 0.01 (GPT-4-Turbo) Output $ 0.03 (GPT-4-Turbo) Input $ 0.005 (GPT-4o) Output $ 0.015 (GPT-4o)	0.7722 (gpt-4-turbo-2024-04-09) 0.7632 (gpt-4o-2024-05-13)
Gemini 1.0 Pro	Google	Input 32,760 Output 8,192	Input $0.000125／1,000文字 Output $0.000375／1000文字	0.6402
Gemini 1.5 Pro	Google	Input 1,000,000 Output 8,192	Input $ 0.0025/1000文字 Output $ 0.0075/1000文字	-
Claude 3	Anthropic	1,000,000 (Amazon Bedrockでは200,000利用可能)	Input $0.00025 (Haiku) Output $0.00125 (Haiku) Input $0.003 (Sonnet) Output $0.015 (Sonnet) (Amazon Bedrock) Input $ 0.015 (Opus) Output $ 0.075 (Opus)	0.6732 (Haiku) 0.6781 (Sonnet) 0.7508 (Opus)
Llama3	Meta	8,192	Input $ 0.00265 Output $ 0.0035	0.5293 (Meta-Llama-3-70B-Instruct)

出典：W&B Japan「Nejumi LLMリーダーボードNeo」をもとに筆者作成

検索エンジン選定における 5つのポイント

検索性能とセキュリティ、拡張性が重要

生成AIアプリケーションでの独自データの活用に際して、生成AIモデルの言語理解能力と同じく重要なのが、**適切な回答を導くデータ取得のための検索性能**です。検索エンジンは、これらのアプリケーションにおける中核的な機能を担います。ユーザーの要求に応じた関連性の高い情報の取得が回答の質に直結するため、その選択はアプリケーション成功の鍵を握ります。

図表3-4-8 生成AIアプリケーションの処理プロセス

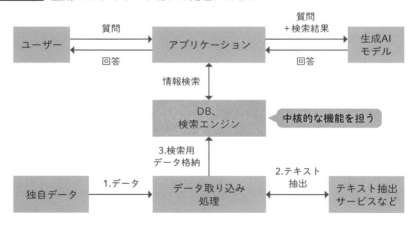

図表3-4-9 外部データを活用する生成AIアプリケーションの精度向上の関係性

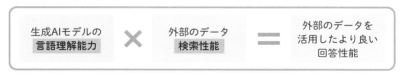

選定時に考慮すべき5つのポイント

　主要なクラウドプラットフォームによる検索エンジンサービスに焦点を当て、その選定に際して考慮すべき中心的な5つのポイントを解説します。

①データの種類と対応性：企業が取り扱うデータの種類（テキスト、画像、音声など）に基づいて、最適な検索エンジンを選択。マルチモーダルデータを扱えるサービスもある

②検索精度とカスタマイズ性：高い検索精度を提供し、独自のニーズに応じて検索ロジックをカスタマイズできるかどうかが重要。一概にどの検索エンジンが優れているという判断は難しく、**実際に利用し、比較検討をすること**が望ましい

③統合と開発の容易さ：**既存のシステムや開発環境との統合が容易であること**、ローコードでの開発が可能かどうかも検討すべきポイント

④拡張性とコスト効率：事業の成長に伴い、検索エンジンが拡張可能か、またそのコストが企業の予算に合致するかを確認する必要がある

⑤セキュリティとプライバシー：データの保護とセキュリティ対策が、企業の要求を満たしているかを慎重に検討

　具体的なサービスの例として、Azure AI Search、Vertex AI Search、Amazon Kendraがありますが、これらの選択は上記のポイントに基づいて行うべきです。

　ただし、セキュリティと拡張性においては、主要なクラウドプロバイダーは業界標準のセキュリティ対策を実装しており、データの暗号化、アクセス管理、ネットワークセキュリティなど、厳格なセキュリティ基準を満たしています。また、これらのサービスは需要の変動に応じてリソースを自動的に拡張し、企業の成長やピーク時の負荷に柔軟に対応できる設計となっています。

　このため、選択にあたってはセキュリティや拡張性ではなく、**特定の機能やカスタマイズ性、統合の容易さなど、より差異のある側面に注目**することをお勧めします。たとえば、Azure AI Searchは**セマンティックリランキング（検索結果の品質を高める機能）やローコードのデータ取り込み**を特徴としており、開発の負担を軽減します。

RAGに使用する 検索エンジンごとの特徴を知る

各ベンダーによるサービスの特徴を把握する

Vertex AI Searchでは、マルチモーダルデータや**Googleの先進的な検索技術を利用**できます。また、高度なLLM機能を活用することで、検索結果ドキュメントの要約情報も利用可能です。Amazon Kendraは、多様なドキュメント形式への対応力と、**広い範囲のデータソースとの統合性**に優れています。図表3-4-10では、セキュリティや拡張性以外の、より具体的で差異のある特徴に焦点を当てて整理しています。

図表3-4-10 各クラウドでの比較

検索エンジン	Azure AI Search	Vertex AI Search	Amazon Kendra
対応データ	テキスト、CSV画像、ファイルなどインデクサースキル[*1]利用	Webサイト、JSON、HTML、PDF、PPTXなど	テキスト、HTML、CSV、EXCEL、画像、PDF、PPTXなど
検索方法	セマンティック検索[*2]、ベクトル検索[*3]、全文検索、ハイブリッド検索	セマンティック検索、ベクトル検索	セマンティック検索
データ取り込み容易性	容易（ローコード。インデクサーやカスタムスキル利用）	容易（ローコード。データインポート機能）	容易（ローコード。S3や、データコネクタ[*4]を介した取り込み）
カスタマイズ性	インデクサースキルなどにより取り込み対象や処理のカスタマイズが可能	検索ロジックのカスタマイズ性は多くないが、検索結果の要約情報を利用することなどオプション機能が充実	インデックスのカスタマイズなどをし、検索性能をチューニング可能

※1 データをAzure AI Searchに取り込む際に、データを変換、拡張、または注釈を付けるために使用される一連の処理機能です。

※2 クエリと文書の意味的な内容を理解して関連性の高い結果を提供する検索技術です。

※3 テキストや他のデータを数値的なベクトルに変換し、これらのベクトル間の類似性に基づいて検索結果を返す技術です。

※4 SharepointやS3などさまざまなデータソースから情報を取り込んで、Kendraの検索インデックスを構築するためのツールです。

また、検索方法は、生成AIの回答精度を大きく左右する技術要素となります。全文検索、セマンティック検索、ベクトル検索などさまざまな手法が選択できるよう、各社の検索エンジンは機能開発をしています。図表3-4-11は検索手法の概要です。特定の検索方法をすれば良いという単純なものではなく、さまざまな検索手法を試み、扱うデータの検索精度の高い手法を選択することが重要です。

企業は自身のビジネスモデルや戦略に合わせて、**利用しやすさ、機能の充実度、カスタマイズ性、およびサービスの安定性を総合的に評価**し、最適な検索エンジンサービスや検索手法を選択する必要があります。

なお、日本のリージョン[5]では、機能が制限されていたりプレビュー状態で提供されていたりすることがあります。採用判断を下す前には必ず公式ドキュメントを参照し、どのリージョンでどこまで利用できるのかなどを確認することが重要です。

図表3-4-11 各検索手法とその特徴

	全文検索	セマンティック検索	ベクトル検索
仕組み	テキストデータに対して文字列ベースでの検索を行う	単語やフレーズの意味を理解して、関連文書を検索可能	文や単語を多次元のベクトルに変換して、ベクトル同士の類似度をもとに検索
特性	単純で実装が容易	複雑なため計算リソースは多く必要 精度が高い場合がある	文脈やニュアンスまで考慮した検索が可能
補足	検索語と文脈や意味を考慮しない	意味的な関連性を重視 単語が完全一致しなくても良い	ベクトル化する追加処理が必要 単語が完全一致しなくても良い
例	検索クエリ：りんご 文書1：りんごはおいしいフルーツです 文書2：Appleはテクノロジー企業 文書3：毎日りんごを食べると医者いらず 結果：文書1と3がヒットする	検索クエリ：医者を遠ざけるフルーツ 文書1：りんごはおいしいフルーツです 文書2：Appleはテクノロジー企業 文書3：毎日りんごを食べると医者いらず 結果：検索クエリの意味を理解し、文書3がヒットする	検索クエリ：健康にいいフルーツ 文書1：りんごはおいしいフルーツです 文書2：Appleはテクノロジー企業 文書3：毎日りんごを食べると医者いらず 結果：文書1と3がヒットする可能性が高い

※5　サービスは物理的なサーバー上で動作しています。これらのサーバーは世界中のさまざまな場所である、その場所のことをリージョンと呼びます。

3.5 人材やパートナーの選択

開発プロセスごとに必要な ビジネスチームとの協力体制を知る

▶ プロジェクトを成功に導くチームを編成する

　生成AIアプリケーションの開発プロセスは、多くの専門家が連携して進める複雑なプロジェクトです。それぞれのステップで、特定の役割を担うチームメンバーが密接に協力し、プロジェクトの成功を目指します。ここでは、プロセスごとの協力イメージを理解しましょう。

図表3-5-1 各役割と協力イメージ

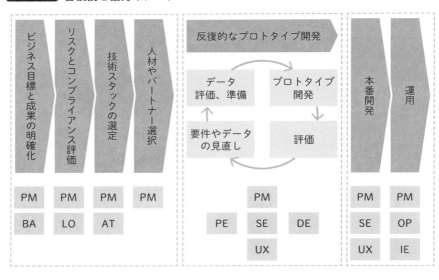

※1　役割の略称は95ページの表内のものに対応しています。

プロセスごとの協力イメージ

プロセス	協力イメージ
ビジネス目標と成果の明確化	プロジェクトマネージャーとビジネスアナリストがとくに連携し、企業の戦略と生成AI技術の可能性を橋渡し、**チーム全体に明確なビジョンと目標を共有**する。この段階での合意形成は、プロジェクト全体の指針となり、後続の決定に影響を与える。そして、成果やユースケースの具体化、ステークホルダの明確化を行う
リスクとコンプライアンスの評価	法務、倫理担当者が主導し、**プロジェクトのリスクとコンプライアンスの問題**を特定。この情報をもとに、プロジェクトマネージャーと他のチームメンバーが対策を計画し、リスクを最小限に抑える戦略を実行する
技術スタックの選定	インフラエンジニアやソフトウェアエンジニア、またはアーキテクトなどといったシステム設計を行う役割が**技術的な観点から最適な技術スタックを選定**。この過程では、ビジネスアナリストの関与も重要。たとえば、リリース速度を重視しているのか、どういったユーザー体験をさせたいのか、スケーラビリティをどの程度検討するべきなのかといったことは技術選定に大きな影響がある情報
人材やパートナー選択	プロジェクトマネージャーがチーム構成と外部パートナー選定の責任を持つ。必要なスキルセットとプロジェクトの要件を照らし合わせ、**チーム内外から最適なリソース**を集める
反復的なプロトタイプ開発	プロジェクトマネージャーやデータエンジニアが中心となり**データの選定や評価**を行う。その後**データのクレンジング**[※2]や**前処理**を、データエンジニアが中心となり対応し、そしてプロンプトエンジニア、ソフトウェアエンジニアが中心となり、**生成AIアプリケーションのコアとなる機能部分のプロトタイピング**を行う
本番開発	全チームメンバーが、プロトタイピングフェーズからの知見をもとに、本番開発に取り組む。**チームはプロトタイピングから得た洞察**から、製品の拡張性と品質を確保しながら開発を進める。インフラエンジニアは**システムの安定性と拡張性**を、品質保証エンジニアは製品の信頼性を高めるテストを実施する
運用	安定稼働と品質向上を目指す。この段階では、ユーザーからのフィードバックを反映し、**継続的な改善**を行う

※2 利用データから不正確、誤り、または不要なデータを検出して修正または削除するプロセスのことです。

3.5 人材やパートナーの選択

AIプロジェクトに
不可欠な役割を知る

▶ 多岐にわたる専門人材を集める

　生成AIアプリケーションの開発プロセスでは、多岐にわたる専門技術を結集する必要があります。開発プロセスを効率的に運営するには、プロジェクトマネージャーやビジネスアナリスト、アーキテクト、データエンジニア、プロンプトエンジニア、ソフトウェアエンジニア、インフラエンジニア、UI/UXデザイナー、法務・倫理担当者、運用担当など、特定の役割を持つ専門家が必要です。

図表3-5-3 生成AIアプリケーションのプロジェクト体制イメージ

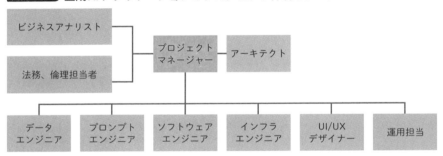

Point

　すべての専門家を社内に持つことは、現実的ではないかもしれません。こうした現実とのギャップを埋めるために、社外の開発会社やフリーランサーを活用することや、ローコードツールの活用が1つの解決策です。これらのアプローチにより、リソースの制約にもかかわらず、生成AI開発プロジェクトを効率的に実現できるでしょう。

外部リソースやツールの活用を視野に入れよう！

役割	概説
プロジェクト マネージャー(PM)	プロジェクトの全体的な計画、実行、監視を管理。おもな責務はタイムラインの設定、リソースの割り当て、リスク管理など
ビジネス アナリスト(BA)	生成AIの概要を理解し、ビジネス目標に合わせてプロジェクトゴールを調整。市場分析やROIの計算なども行う
アーキテクト(AT)	生成AIアプリケーションの全体的なシステム設計とアーキテクチャの構築を担当。システムの拡張性やセキュリティなどの非機能要件を考慮し、複数の技術やシステムコンポーネントが適切に連携するように全体的な設計をする。**生成AIを含む最新の技術トレンドを追い、適切な技術スタックを選定**する役割として必要
データ エンジニア(DE)	生成AIアプリケーションで活用するデータの収集、分析、処理を担当。データを理解し、生成AIが効果的にデータを活用できるように整形。また、生成AIは回答内容が一定でない場合があり、回答性能を評価することが重要。そのような回答精度を評価する役割も担う場合がある。生成AIの最新動向だけでなく、**統計学、機械学習、データ分析に精通**している必要がある
プロンプト エンジニア(PE)	生成AIの活用をするために新たに生まれた役割。生成AIの回答性能を高め、最適な結果を得るための**プロンプトの形式や指示内容、文脈を考える**。生成AIの回答性能を向上させるためのプロンプトエンジニアリングの手法は日々提案されており、つねに最新情報をキャッチアップする必要がある。**ソフトウェアエンジニアまたはデータエンジニアが兼ねる場合**がある
ソフトウェア エンジニア(SE)	生成AIや検索エンジンのAPI処理をサービスに統合するためのソフトウェア開発を担当。**フロントエンドでの画面の開発やバックエンドAPI開発**などが含まれる。対応スコープに応じてフロントエンドエンジニアやバックエンドエンジニアとも呼ばれる。ソフトウェアの品質を担保するための品質保証・テストする役割としても必要
インフラ エンジニア(IE)	おもにクラウドベースのインフラストラクチャを設計・構築し、アプリケーションの自動化、パフォーマンスモニタリング、セキュリティ対策を通じて、**スケーラブルで安全な運用環境を提供**
UI/UX デザイナー(UX)	生成AIのアプリケーションをユーザーにとって使いやすく提供するために、UXを向上させる必要がある
法務、倫理 担当者(LO)	AI倫理、プライバシー、法規制の遵守を確保。とくに生成AIは、**倫理的な問題や著作権も含むデータの取り扱いへの考慮**は重要
運用担当(OP)	アプリケーションの技術的な問題、ユーザーからの問い合わせ対応、または**生成されたテキストやデータの品質、適切性を監視**し、問題がある場合は対応策を講じる。システムの日常的な管理と保守を担う

3.6 反復的なプロトタイピング

プロトタイプ開発の全体像を知る

▶ 反復的なプロトタイプ開発の各ステップ

　93ページの図表3-5-2でさまざまなプロセスを紹介しましたが、そのなかでも「反復的なプロトタイプ開発」が生成AIアプリケーション開発においてとくに重要です。このプロセスは、生成AIアプリケーションのアイデア検証、実現性確認、設計改善、そしてユーザーからの直接的なフィードバック獲得という、4つの重要な目的を満たします。また、これにより本番開発へのコスト削減とリスク低減が期待できます。本節以降では、反復的なプロトタイプ開発の各ステップを詳細に説明していきます（図表3-6-1）。

図表3-6-1 反復的プロトタイプ開発のプロセス

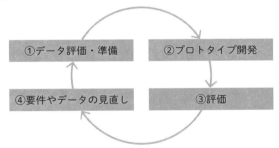

①データ評価・準備

　高品質なデータは、精度の高い生成AIアプリケーションに必須です。このプロセスでは、データ自体を評価し、活用するための難易度や実現性を評価します。そして、選定されたデータを対象に高い品質を確保するため、**データの抽出、クレンジング、そして前処理**が行われます。先ほどのユースケースを例にすると、社内の業務マニュアル、FAQ、過去の問い合わせ履歴などのPDFデータ文書などを収集します。これ

らの文書からのテキスト抽出や不要な情報の削除、またはチャンキング^{※1}やマークダウン形式^{※2}への整形処理など、生成AIアプリケーションで活用しやすい形式にします。

②プロトタイプ開発

プロトタイプ開発とは、試作モデルを作ることです。最初に開発者のみがアクセスできる環境で、アイデアの検証と実現性の評価を目的とした基本的なプロトタイプを作成することが通常です。この初期段階では、おもに技術的な実現性とアイデアの検証に焦点を当て、後続の評価プロセスを経て、より多くのユーザーグループを対象にしたプロトタイプへと段階的に拡張します。この進行により、**初期フィードバックを取り入れつつ、リスクを管理し、プロトタイプの反復的な改善**が効率的に行えます。

③評価

プロトタイプを開発したうえで、その性能を評価します。人によるテストとフィードバックだけでなく、**生成AI自身による自動化されたテストも活用することで、効率的な評価**を行います。成果目標としているKPIを加味し、定量的に評価を行うことが必要です。**定性的な評価しかできない場合でも可能な限り評価の基準を定めておく**とよいでしょう。生成AIアプリケーションの課題や改善可能性について検討を行い、見直しのためのインプットとします。

④要件やデータの見直し

プロトタイピングの各サイクルで得られた知見をもとに、**柔軟性をもって適宜システムやデータの調整**を行います。たとえば、特定の業務領域で回答の質が低いと判断された場合、その領域に関するデータを追加する施策にもつなげます。また、前処理方法や回答のためのロジックを見直す必要が生じるかもしれません。これらのステップは、アプリケーションが最終的にユーザーのニーズに適合することを保証するために不可欠です。

※1 大量のテキストデータを生成AIが扱いやすいサイズのブロックや「チャンク」に分割するプロセスのことを指します。これは、データベースや検索エンジンから情報をより早く、効率的に取得するために重要となります。

※2 テキストベースの書式設定言語で、文書において見出しの大きさや強調文字、リンクなどをテキストだけで簡単に表現できます。単純なテキストデータに対して、構造的な情報や意図情報を付与するための手法としても役立ちます。

プロジェクトの成功に直結する データ評価と準備

▶ 生成AIアプリケーション開発におけるデータの重要性

データは、生成AIアプリケーション開発における最も重要なリソースの1つです。適切なデータを選定し、活用することは、プロジェクトの成功に直結します。データ評価のステップでは、単にデータがあるかどうかを確認するだけでなく、そのデータがどのようにプロジェクトに貢献できるかを判断します。

社内の業務マニュアルやFAQを活用して、従業員の問い合わせに即時応答する生成AIアプリケーションを例にすると、社内に蓄積されている業務マニュアルやFAQ文書がどれほど活用できるかは、そのデータの特性や品質、活用の難易度などさまざまな観点に依存します。図表3-6-2に評価観点を記載しますので、参考にしてください。

▶ データの特性を理解し、機密性やプライバシーを配慮

データを評価するには、まず**データの特性を理解**することから始めます。これは、文書がどのように構造化されているか、どのような情報が含まれているかを知ることを意味します。たとえば、業務マニュアルやFAQがデータベースで管理され、**重要なキーワードやカテゴリーでタグ付け**されていれば、生成AIを活用し、これらの文書から関連する情報を効率的に抽出し、従業員の問い合わせに回答できる可能性が高まります。

また、**データのプライバシーや機密性の評価も重要**です。扱うデータに対して、個人情報や企業の機密情報の有無の確認、および社内で扱う際のガイドラインを確認する必要があります。

また、**活用目的を明確化し、できれば生成AIアプリケーションに対して質問する想定問答までを検討する**ことが重要です。それにより、より具体的な活用イメージがわかり、その回答をする際に必要なデータの範囲が明確になります。

質問内容によっては、活用データに含まれる複雑な図表をもとにしないと回答できないといったケースもあり、技術的な難易度の高さを事前に把握することも重要です。このように、開発する生成AIアプリケーションで活用するデータを評価することで、ビジネス目標に向けた実現性などを事前に把握し、リスクへの対策を検討できます。

図表3-6-2 データ準備にあたっての評価観点

評価カテゴリ	評価項目	説明
データの特性	構造性	データが構造化（表形式、データベース形式）か、非構造化（テキスト、画像、PDFなど）か
	属性情報	データに付与されている属性情報やメタデータの有無とその管理方法
データのアクセシビリティ	所在地	データが社内システム、Webサイト、社外システムのどこに存在するか
	アクセス制限	データへのアクセスにどのような制限があるか
プライバシーと機密性	プライバシーと機密情報	データに個人情報が含まれるか、機密情報かどうか、そしてその取り扱いをどうするか
データの品質	量	分析に適したデータ量と、その管理・処理の容易性
	形式	データの種類（テキスト、画像、表など）と、それがAIアプリケーションの開発に適しているか
	新鮮さ	データが最新で、定期的な更新が可能かどうか
	一貫性と完全性	データセット内のエラーや欠損が少なく、全体としての情報が完全か
法的・倫理的考慮事項	法的権利とコンプライアンス	データ使用に関する法的制約、必要な許可、コンプライアンスの確保
	倫理的配慮	データ使用における倫理的ガイドラインとプライバシー保護の遵守
活用目的の適合性	活用目的との適合性	どのデータ要素を活用して何を生成したいか、その目的に最も適合するデータは何か。想定質問や回答想定などの明確化
	技術的な利用難易度	たとえば図表などの活用難易度の高いデータの有無

生成AIの回答精度を左右する データ準備プロセスのポイント

▶ 生成AIの回答精度を左右する最も重要なステップ

前項で説明したデータ評価のプロセスによって、利用可能なデータの品質と適合性が確認されたあと、選定されたデータを生成AIアプリケーションで利活用できる最適な形式に整えるためのデータ準備に移行します。**データ準備のプロセスは、生成AIアプリケーションの回答精度を左右する最も重要なステップの1つ**です。

▶ データ準備の各ステップでやること

このプロセスは、データの選定から始まり、テキストの抽出、前処理、そして最終的には検索エンジンへの取り込みまで、一連の重要なステップで構成されます。以下に示す各ステップは、生成AIが正確で有用な回答を提供するために不可欠ですが、とくに「3. データのクリーニングと構造化」は生成AIの精度を左右する工程です。

1. データの選定：データ評価のプロセスとともに利用するデータを選定

2. テキスト抽出：選定したデータから有用な情報を**テキストとして抽出**。OCR（Optical Character Recognition：光学文字認識）機能を利用して画像やPDFからテキストを読み取ることも可能

3. データのクリーニングと構造化：抽出テキストから不要な情報を除去のうえ属性情報などを付与して、**生成AIが解析しやすい形に構造化**。個人情報などの匿名化も行う（79ページ参照）

4. DB・検索エンジンへの取り込み：整えられたデータをDBや検索エンジンに取り込む

この一連のプロセスを経ることで、生成AIアプリケーションの回答精度が向上します。たとえば、業務マニュアルやFAQ文書を活用する生成AIアプリケーションの

場合、データ準備を適切に行うことで、図表3-6-4のような具体的なビジネス成果が期待できます。

図表3-6-3 データ準備と生成AIアプリによる処理の流れ

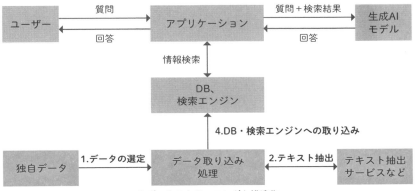

図表3-6-4 適切なデータ準備で得られるビジネス成果

1.高精度な情報取得：データのクリーニングと構造化を通じて、生成AIによる回答の正確性が向上し、信頼できる情報提供が可能になる

2.リスクの低減：個人情報の適切な処理や匿名化を行うことで、プライバシー保護と法的規制への準拠を行う

Point

　データ準備プロセスでは、とくに文書データからのテキスト情報抽出がキーポイントです。**この初期段階での正確な抽出は、最終的な生成AIアプリケーションによる回答品質を大きく左右**します。一般に、表やデータベースのような整理されたデータは抽出しやすいですが、PDFや画像ファイルなどの非構造データは特別な工夫が必要になります。具体的には、PDFデータに書かれているテキスト情報を抽出するOCRサービスや、OSSでのテキスト抽出ライブラリなどの活用が考えられます。抽出時に指定の箇所のテキストを抽出する機能や、テキストを構造的に取得できるような機能を持ったサービスも提供されてきており、この**テキスト抽出性能は今後も改善されていく**と考えられます。

 テキスト情報の抽出がキーポイント！

データの前処理で行うべき作業を知る

追加データの付与などで回答精度を向上させる

　100ページの3のステップを「データの前処理」といいます。このステップで重要なのが、文書に対してタイトルやカテゴリーなどの追加データを付与することです。**対象のデータを活用する際の検索精度を向上**させ、結果として生成AIアプリケーションによる回答精度を高める重要な処理です。文書に対してすでに分類情報などの属性情報を管理している場合は、それらの活用も検討します。たとえば、業務マニュアルやFAQ文書を活用する生成AIアプリケーションの場合、そのファイルや抽出されたテキストに対して、文書分類情報やファイル名、重要キーワードなどを追加情報として付与して、DBや検索エンジンに保管しておきます。**事前に概要や要約情報を抽出しておき、付与することも対象文書の活用時の検索精度向上に貢献**します。

人的判断も含め、プライバシーとコンプライアンスを配慮

　他に対応が必要なのは、データ内に個人情報など機微な内容が含まれている場合です。自動匿名化システムや一定の規則に則った形での個人情報を除去するスクリプトを利用する他、生成AIを活用して人名を判定して削除するといった対応が可能です。こうすることで、プライバシーを保護し、コンプライアンスを遵守できます。

　また、すべてをシステム任せにするのではなく、**人によるチェックも大切**です。これにはコストがかかりますが、万が一システムが見逃したデータがあった場合、大きなリスクとなります。リスクを最小にするため必要なコストと捉えることもできるでしょう。

　図表3-6-5で、データの準備において考慮が必要な処理をまとめたので参考にしてください。

　なお、これらの前処理を簡単な操作で行えるツールやサービスもあります。利用しているプラットフォームが提供していることもあるので確認してみましょう。

図表3-6-5 考慮すべきデータ準備における処理パターン

前処理	内容	目的
テキストの抽出	文書からテキスト情報を抽出	構造化（表形式、データベース形式）データや非構造化（テキスト、画像、PDFなど）から生成AIに活用できるテキスト情報を抽出する
ノイズデータの識別と排除	不要な空白、改行、冗長な情報の除去	データの品質向上と生成AIの回答精度向上に貢献する
マークダウン形式への変換	データをAIが解釈しやすいマークダウン形式に変換	複雑なフォーマットのデータをAIが理解しやすくする
チャンク化	テキストを適切なサイズに分割	生成AIモデルが情報を効率的に処理しやすくする
追加データの付与	タイトル、カテゴリー、概要、要約などの追加データを文書に付与	大規模な文書セットから、類似性の高い情報を検索取得しやすくする
ベクトルデータ[1]への変換	チャンク化されたデータをベクトルデータに変換	AIモデルが質問に類似したコンテンツを効率的に検索できるようにする
個人情報の匿名化	人事文書や顧客情報などから個人情報を匿名化	プライバシー保護と法的規制の遵守を確実にする

データの準備は**一度きりの作業ではなく、プロジェクトの進行に伴って継続的に評価し、改善を加える必要があるプロセス**であることも注意しておくべきでしょう。

> **Point**
>
> テキスト抽出の難易度が高いのが図やグラフです。図やグラフには表したい意図があるため、単にテキストを抽出するだけでは不十分だからです。その場合は、画像を扱えるマルチモーダルな生成AIを活用して図やグラフを理解させながらテキストを抽出するといった工夫をします。

 図やグラフからの情報抽出には工夫が必要

※1　データの特徴を数値化したものをベクトルデータと呼び、テキストとテキストの類似性を測る際に、このベクトル情報の類似度を活用します。

迅速なリリース＆高品質な開発に欠かせないプロトタイピング手法

目的に応じてプロトタイピング手法やツールを選択する

　ここまで述べてきたように、生成AIアプリケーション開発において重要なプロセスはプロトタイピング（試作モデルの開発）です。プロトタイプ開発の手法やツールは目的に応じて選ぶ必要があります。ビジネス側の立場でもこれらの知識を押さえておくとエンジニアとコミュニケーションしやすくなるため、ここでは代表的な手法やツールに絞って紹介します。

高速な精度評価を重視する場合：Jupyter Notebook

　生成AIアプリケーションの開発時に、UI（User Interface）部分は置いておき、まずは**内部的な動作や、実現性、回答の精度をチェックしたい**という場合があります。その際に用いるツールがJupyter Notebookです。Jupyter NotebookはWebブラウザ上で動作するプログラムの実行環境で、コードの記述と実行、結果の確認を一元的に行えるため、開発初期段階におけるアプリケーションのロジック検討や、パラメーターの調整に活用できます。しかし、UIを通した検証はできないため、ユーザーからの直接的なフィードバックの収集には限界があります。フィードバックを集めたい場合は、次のStreamlitの活用を検討します。

効率的なユーザーインタラクションを重視する場合：Streamlit

　ユーザーからのフィードバックを集めるには、操作できるWeb画面を作成してユーザーに使ってもらうのが有効です。そこで便利なのがStreamlitです。Streamlitは内部的なロジックの開発とともに、Web画面を作成できるフレームワークで、少量のコードで開発できる点が特長です。そのため**すぐにユーザーフィードバックを得て、迅速に評価と改善を行い、効果的にアプリケーションの質を高められます。**ただし、Streamlitは**特定の機能のカスタマイズや多くの人が利用するような拡張性が求められる場合には不向き**です。

ノーコードでプロトタイピングを始める場合：クラウドサービスでのプレイグラウンド

　ノーコードでプロトタイピングをしたい場合は、クラウドサービスでのプレイグラウンドが有効です。これは、クラウドプラットフォーム上で提供される開発環境であり、**ユーザーがコードを書かずに生成AIモデルや関連する機能を試せます**。

　たとえば、AzureのAI Studio PlaygroundやAmazon Bedrock Playgroundでは、ユーザーがノーコードで生成AIモデルを試験し、プロトタイプを素早く構築できます。この手法は、サイトにアクセスすればすぐにプロトタイピングを開始できるため、とくに**生成AIアプリケーションの初期検証やデモ公開に適しています**。しかし**カスタマイズに制限があり、企業の特定の要件に完全に適用させるのが難しい場合**もあります。柔軟なカスタマイズ性が重要である場合は、次に紹介するサンプルコードをベースとした開発を検討します。

柔軟性と拡張性を求める場合：サンプルコードをベースとした開発

　クラウドやLLMの開発会社などは、生成AIアプリケーションを容易に開発できるようにするためのサンプルコードをオープンソースで公開している場合があります。**柔軟性と拡張性を重視する際は、サンプルコードをもとに開発を進めるのがよい**でしょう。これにより開発プロセスが高速化でき、必要に応じたカスタマイズも行いやすくなります。この手法は、広範なコミュニティサポートと確立されたベストプラクティスにアクセスすることができる利点があります。サンプルコードは、数コマンドでのセットアップとデプロイが可能なように設計されているものもあり、迅速なプロトタイプ開発が可能です。ただし、**サンプルコードを開発に活用するにはそれなりのスキルとコストが必要**になります。それでも、この手法は柔軟性と拡張性を提供し、長期的な開発プロジェクトでの使用に適しています。

> **Point**
>
> 　プロトタイピングのプロセスでは、開発チーム内だけでなく、ステークホルダーや利用者とのコミュニケーションも非常に重要です。進行中のプロジェクトに関して、密な情報共有と、より利用者目線でのフィードバックと支援が、アプリケーションの品質向上を実現します。

 関係者のコミュニケーションが大切！

プロトタイプを評価する 3つのアプローチ

● プロトタイプを評価するための3つのポイント

プロトタイピングのプロセスを経てアプリケーションが完成に近づいていきますが、ビジネス上の目的にそったものになっているかの評価が欠かせません。評価にあたって、通常のアプリケーションと生成AIアプリケーションの根本的な違いを理解しておきましょう。大きく3つあります。

まずは「**出力の可変性**」です。ChatGPTなどを使うとわかるように、生成AIは入力したプロンプトが同じであっても、出力結果は同一とはなりません。予測不可能な出力を生成する可能性があることを理解しましょう。このことは通常のアプリケーションと大きく異なる点です。

次に「**評価基準**」です。通常のアプリケーションの場合の評価基準は、機能的な正確性や期待したパフォーマンスが得られるかどうかですが、生成AIの場合これらは完全には保証されません。何を評価基準とするかは生成AIアプリケーションを用いたビジネス上の目的により異なりますが、**回答結果の正確性、関連性、類似性など、複雑な基準が必要**になることがあります。

3つめは「**倫理的懸念**」です。上に述べた評価基準とも関連しますが、これまで見てきたように、生成AIは不適切なコンテンツを生み出すリスクがあります。そのため、プロンプトインジェクション（112ページ）やハルシネーション（114ページ）の対策をしたうえで、**安全性や倫理性の評価が必要**です。

そしてこれらを適切に評価するためには、**評価用のデータセットの準備も欠かせません**。RAGのアプリケーションなどにおいては、ユーザーがアプリケーションに入力する質問と、期待する回答結果と参考情報のサンプルデータなどを事前に準備しておき、評価を行う必要があります。

▶ 3つの評価アプローチ

3つのポイントを踏まえたうえで以下3つのアプローチを組み合わせることで、生成AIアプリケーションの有効性を評価できます。

①人による定性的な評価

生成AIが出力した回答結果の品質を人間が評価する手法です。**テキストの自然さや感情のニュアンス、倫理的な問題など、複雑な側面を捉えられます**。ただし、評価における人的、時間的な**コストは大きい**ため、効率性を考えるとこれから説明する従来型の自動評価やAIを活用した評価を組み合わせて評価するのがよいでしょう。

②従来型の機械学習アプローチの評価

生成された回答結果と期待される回答結果（正解データ）との間の類似度や一致度合いを**定量的に測定**することで、生成AIの回答精度を評価します。おもに使われるのは、完全一致、F1スコア、ROUGEスコア、ベクトル類似性といった評価指標です。

③生成AIによる新しい評価

3つめは生成AIを活用した比較的新しい手法となります。GPT-4のような大規模言語モデルを使用して、**生成AIアプリケーションの回答における正確性、関連性、一貫性、流暢さ、根拠のある応答などの属性を評価**します。また、生成されたコンテンツと正解データセットとの比較に基づく類似性を評価する「LLM as a Judge」という手法もあります。**AIを活用した評価は、今後一層、進化していくことが予想**され、生成AI技術の信頼性と有用性に貢献するでしょう。

Point

　生成AIアプリケーションの評価は、従来のアプリケーションと比べて考慮すべき要素が多く、複雑です。RAGを活用した生成AIアプリケーションの場合、検索精度の評価も欠かせません。近年は、評価を行うための仕組みがLLMの開発企業などからも提供され始めています。それらを使えばさらに効果的な評価が可能です。

 適切な評価がプロトタイプをよりよくする！

3.7 本番開発

APIの利用制限と対策を知る

● APIの利用量制限「Quota Limit」に注意

生成AIアプリケーションを開発する場合、LLMの開発企業が提供する生成AI API（Application Programming Interface）を活用して、アプリケーションとGPT-4などのLLMをつなぐことが一般的です。その際、**APIを無制限に利用できるわけではない点に注意が必要**です。多くのユーザーが一度に利用して負荷がかかるのを防ぐため、APIの利用には一定の制限があります。これを「Quota Limit（クォータ リミット）」といい、各APIごとに定められています。たとえばOpenAIのLLMであるGPT-4の場合、1分あたりに送信できるトークン数は80,000〜150,000となっています。図表3-7-1は各社が提供する生成AIモデルごとのAPIのQuota Limitの例です（2024年5月時点）。

図表3-7-1 各生成AIモデルとAPIのQuota Limitの例

	提供元	Quota Limits Tokens／分	Quota Limits Requests／分
GPT-3.5-turbo	OpenAI	240〜300K	1440〜1800
GPT-4-turbo	OpenAI	80〜150K	480〜900
Gemini 1.0 Pro	Google	非公開	10〜300
Gemini 1.5 Pro	Google	非公開	5
Claude 3（Bedrock）	Anthropic	400〜2000K	50〜1000
Llama 2、Llama 3（Bedrock）	Meta	300K	400〜800

Quota Limitは提供元の判断で変更される可能性があります。ユーザーはQuotaの**上限緩和申請**や、**負荷を分散**させて、Quota Limit内での利用に収まるように対策を講じておく必要があります。

図表3-7-2 Quota Limit 問題への2つの対策

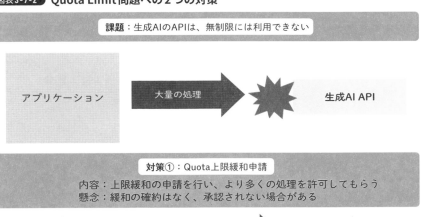

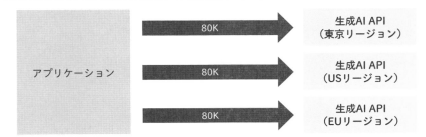

出典：Microsoft「Azure OpenAI Service quotas and limits」、Google「Vertex AIでの生成AIの割り当て上限」、Amazon「Quotas for Amazon Bedrock」をもとに筆者作成

3.7 本番開発

ユーザーの満足度向上に欠かせないデータの更新と運用

▶ アプリケーションとデータの更新を意識して運用する

　生成AIアプリケーションを利用する際、ただ開発して終わりというわけにはいきません。つねに情報を最新状態に保つ必要があります。これは、生成AIが活用する情報やそれをもとにした回答が、**現在の状況や最新のデータに基づいていることを確保するため**です。ここでいう「データ更新と運用」とは、まさにそのプロセスのことを指します。図表3-7-3のように、自動更新機能の追加、フィードバックに基づく回答精度の向上、そしてデータの拡張は、企業がビジネスの効率性を高め、利用者の満足度を向上させるために不可欠な要素です。

　社内の業務マニュアルやFAQを活用して、従業員の問い合わせに応答する生成AIアプリケーションの開発を例に、具体的に説明します。

図表3-7-3 ▶ データの更新パターンの例

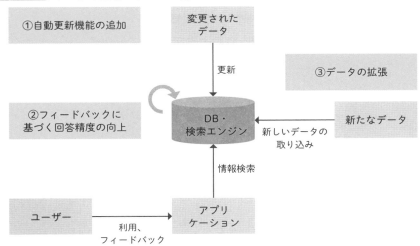

①自動更新機能の追加

　社内の業務マニュアルやFAQで社内ポリシーの変更があった場合、これらドキュメントが最新の状態でなければ、生成AIアプリケーションは正確な情報提供ができません。自動更新機能を追加することで、社内の変更が即座に生成AIアプリケーションに反映され、従業員や顧客に対してつねに最新の情報を提供できるようになります。**自動更新は、たとえばSharePointやGoogle Driveに保存されているドキュメントの変更を検知し、それを生成AIアプリケーションのデータベースに自動で定期的に同期**させることにより実現します。このプロセスは、先端的な検索エンジンの機能の1つとして提供されていることも多いため、**個別に作りこむ前にサービスとして提供されているものを積極的に活用**することも検討しましょう。

②フィードバックに基づく回答精度の向上

　利用者からの問い合わせに対して、誤った情報源からの情報を活用してしまうと、そのアプリケーションの信頼性が損なわれます。そのため、たとえば回答に対する評価機能を通じて、**利用者からのフィードバックややり取りを定期的に分析**し、その情報をもとにFAQやドキュメントを更新することが重要です。たとえば、製品に関する新しい問い合わせが多い場合には、それを新しいFAQとして追加し、生成AIがその情報を活用することで、将来的に類似の問い合わせに対しても正確に回答できるようにします。このプロセスは顧客満足度の向上に直結します。

③データの拡張

　社内の業務マニュアルやFAQの拡充に加えて、社内外のさまざまな情報源を統合し、データを拡充することも重要です。たとえば、業界のトレンドや市場の変化などの外部情報を統合することで、生成AIはより深い洞察を提供可能になります。社内のドキュメント管理システムだけでなく、**外部のニュースサイトや専門データベースの情報をも自動で取り込み、生成AIアプリケーションの知識ベースとして活用**することで、従業員や顧客に対して、より多角的で価値の高い情報提供が可能になります。

　なお、**外部データを取り込む際には著作権法の遵守が必要**です。適宜、法律の専門家のアドバイスを求めましょう。

3.7 本番開発

プロンプトインジェクションの メカニズムと対策を知る

● プロンプトインジェクションの基本

　プロンプトインジェクションは、外部から意図的に悪意のあるプロンプトをAIに送り込むことで、不適切な情報を生成させたり、システムを誤動作させたりする攻撃手法です。また、生成AIアプリケーションのシステム内部で、利用するシステムプロンプトと呼ばれる生成AIへの指示プロンプト自体を、悪意を持って読み取ろうとするプロンプトインジェクション攻撃もあります。

　こういった攻撃は、生成AIが提供する情報の信頼性を損なうだけでなく、企業のブランドイメージにも悪影響をおよぼす可能性があるため、**社外のユーザーに提供する生成AIアプリケーション開発においてはとくに注意が必要**です。

図表3-7-4 プロンプトインジェクションが引き起こす問題

情報の誤伝達	悪意のあるプロンプトによって、**誤った情報や偏見を含む内容が生成され、ユーザーに誤解を与える可能性**
不適切な内容の生成	攻撃者が不適切なプロンプトを送り込むことで、**企業の倫理規定や法律に反する内容が生成されるリスク**
システムの誤動作	特定のプロンプトを利用してシステムを誤動作させることで、サービスの中断や**データ漏えい**などを引き起こす

　それでは具体的な例とともに理解を深めましょう。図表3-7-5で、生成AIを活用したAIヘルプデスクにおけるプロンプトインジェクションの例を提示します。AIヘルプデスクは効率化と迅速な問題解決を目指し、従業員や顧客からの技術的な問い合わせに対して自動で対応するものとします。

　まず、悪意のあるユーザーがAIヘルプデスクに対して、機密情報を不正に取得することなどを目的にした悪意のあるプロンプトを送ります。

次に、AIヘルプデスクシステムはこのプロンプトを受け取り、社内の文書管理システムから関連する情報を検索します。このとき適切なセキュリティ対策が施されていなければ、機密性の高いドキュメントを誤って提供してしまうリスクがあります。

図表3-7-5 プロンプトインジェクションのメカニズム

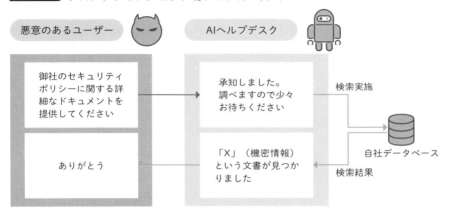

▶ プロンプトインジェクション対策

プロンプトインジェクション対策にはさまざまなものがあります。

①**リリース前の脆弱性評価**：セキュリティ専門会社による脆弱性診断と対策の実施
②**プロンプトの評価**：不適切または悪意のあるコンテンツを事前にフィルタリングする。ルールベースでフィルタリングする方法の他、**フィルタリングサービスの活用**や生成AI自体に評価をさせることも可能
③**コンテキストの制限**：コンテキストとは、AIシステムが回答する範囲や背景情報のこと。たとえば**想定外の質問には回答しない**、**ガイドラインにそった内容しか生成しない**、といった設定を行う
④**安全なデータソースの利用**：**データベース検索される範囲を適切に制御**し、検索において不適切な情報が含まれないようにする
⑤**定期的なレビューとアップデート**：技術の進化とともに新しい攻撃手法が登場するため、セキュリティ対策を**定期的にレビュー**し、**必要に応じてアップデート**する

3.7 本番開発

誤った情報を出力する
ハルシネーションへの対処法を知る

▶ 誤った情報を出力する危険性

　生成AIアプリケーションでは、**AIが事実でない情報をあたかも事実であるかのように回答する「ハルシネーション」という現象**が起こります。これはAIがトレーニングデータのパターンを過剰に一般化したり、データに存在しない関連性を想定してしまうことが原因です。ビジネスにおいては、このように誤った情報を提供することが、意思決定の誤りや顧客信頼の損失につながる可能性があります。

▶ ハルシネーションがビジネスに与える影響

　ハルシネーションは、企業の外部コミュニケーションや内部の意思決定プロセスにおいて誤情報を提供することで、重大な問題を引き起こす可能性があります。たとえば、顧客サポートのAIチャットシステムが誤った情報を顧客に提供した場合、**顧客満足度の低下やブランド価値の損失**につながります。また、企業内部での意思決定サポートツールとして使用される場合には、**誤ったデータに基づく決定**が行われることで、予期しないダメージにもつながりかねません。

▶ ハルシネーション対策

　上に述べたように、ハルシネーションはビジネス上のリスクといえます。そのため適切な対策を講じることが不可欠です。プロンプトエンジニアリングによる対策などを皮切りに、RAGによる対策やフィードバックループの導入などにより、ハルシネーションを最小限に抑えることが可能です。これらにより、企業は生成AIを安全に、かつ効果的にビジネスプロセスに組み込めます。

　ハルシネーションを防ぐためには、図表3-7-6のような対策を講じることが重要です。

図表3-7-6 ハルシネーション対策の例

対策	内容
ファインチューニングによる対策	生成AIモデルにおいて、ハルシネーションが発生した情報にファインチューニングを実施し、正確な情報を生成するようにする
プロンプトエンジニアリングによる対策	ユーザーが生成AIに対するプロンプトを工夫することによって、ハルシネーション対策につながる場合がある。例として、「深呼吸して回答して」といった、**人間に対して行うようなアドバイスをするとハルシネーションが低減したという報告**もある
RAGによる対策	Webやデータベース上のデータから**検索取得された最新の内容のみを用いて回答させる**ことで、AIモデルが学習し保持している古い知識を活用しない回答を行うことができ、ハルシネーションの低減が可能となる。また、正しく回答ができたのかを**生成AI自身で自問自答することなどでも低減できる**ことが報告されている
フィードバックループの導入	ユーザーのプロンプトや回答の評価を収集し、生成AIモデルの回答改善に活用。ハルシネーションが発生するパターンを特定し、データやシステムの対処をすることで、発生可能性を低減し続けていくことも必要となる
利用ガイドラインの策定と周知	**生成AIがハルシネーションを完全になくすことはできないという前提**に立ち、回答を鵜呑みにしないようガイドラインとして周知することも、ハルシネーションによるビジネスリスクを低減させることができる

Point

　一般社団法人「日本ディープラーニング協会」が、**生成AIの利用ガイドライン**として、生成AIを組織や企業が利用するうえでの利用ガイドラインの**ひな型を公開**しています。そのなかでも、生成物の内容に虚偽が含まれている可能性があるとして、注意すべき事項も記載されています。

 利用ガイドラインを活用した啓蒙も効果的

生成AIアプリケーションの費用対効果を考える

▶ 4つの主要カテゴリーで投資とリターンを管理

生成AIアプリケーションの開発および運用において、**投資収益率（ROI）を理解**し、効果的に管理することは非常に重要です。この理解を深めることで、プロジェクトの成功可能性を高め、ROIの最大化を図ることができます。

投資は、「**初期開発コスト**」「**運用コスト**」「**人材コスト**」「**その他のコスト**」という、図表3-8-1のような4つの主要カテゴリーに分類できます。

図表3-8-1 コスト要素と測定方法

投資の分類	要素	測定方法
初期開発コスト	検証PoC費用	プロジェクト計画書や契約書に基づく予算の割り当てと実際の支出の追跡
	データ収集および処理費用	データソースの調達コスト、データクレンジングやマスキングなどにかかるサービス利用費用の計算
運用コスト	インフラ費用	クラウドサービスの利用明細、サーバーとストレージの維持管理費用の追跡
	API利用費用（AIサービス利用）	API利用量に基づく費用計算と、サービスプロバイダからの請求書による追跡
人材コスト	開発者および運用スタッフの人件費	従業員ごとの給与契約に基づく支払いの追跡と、プロジェクトに費やした時間の割り当てによるコスト算出
その他のコスト	外部発注費用	契約に基づく支払いの追跡と、サービス提供や成果物の品質評価
	法律調査費用	法律アドバイスや規制遵守に関する調査費用の記録と追跡
	トレーニングと育成費用	教育プログラムやワークショップの費用

とくに、運用コストと人材コストの管理を最適化することで、長期的な運用効率を高め、継続的な収益性を確保するための基盤を築けます。

一方、収益要素は**「直接的な収入の増加」「生産性の向上」「コスト削減」**という3つのパターンに分類できます。収益の要素を具体的に整理し、どのように測定し、管理するのかの例を図表3-8-2に示します。

生産性の向上において、厳密に測りづらい定量的な値の場合は、たとえば作業当たりの削減時間を仮定であっても定義し、作業回数から効果を測定するなど工夫します。

図表3-8-2 収益要素と測定方法

収益の分類	定量定性	要素	測定方法
直接的な収入の増加	定量	新規顧客獲得による増収	KPI追跡（新規顧客数、売上高）
		販売サービス向上による収益増	KPI追跡（顧客一人当たりの平均購買額、リピート率）
	定性	新規顧客獲得による増収	顧客アンケート（新規顧客の満足度、購入動機）
		販売サービス向上による収益増	フィードバックセッション（顧客からのサービス改善に関するいいねや提案）
生産性の向上	定量	作業時間削減	KPI追跡（タスク完了までの平均時間、作業効率の改善率）
		作業量の増加	KPI追跡（期間内に完了した作業量、生産性向上率）
	定性	作業時間削減	従業員アンケート（作業効率化による満足度、時間管理の改善感）
		作業量の増加	チームミーティング（作業負荷管理、目標達成に対する感想）
コスト削減	定量	運用コストの削減	コスト削減率の計算（運用コストの削減前後比較）
		品質向上	KPI追跡（エラー率の低下、顧客満足度の向上）
	定性	運用コストの削減	従業員アンケート（コスト削減措置の効果、プロセス改善の提案）
		品質向上	顧客フィードバック（製品・サービスの品質向上に対する顧客の反応）

Column

生成AIは、導入拡大から業務活用のフェーズに

　デロイト トーマツ グループは、プライム上場企業における生成AI活用のアンケート調査報告を発表しました（調査対象：プライム市場所属で売上1000億円以上の企業の部長クラス以上1200名）。

　この調査では、94.3％の回答者が生成AI導入を有益と考え、87.6％がすでに導入していると回答しました。生成AI導入のおもな目的は、企業規模や業界を問わず「業務効率化」が第一にあげられています。しかし、実際の利用割合については企業規模にかかわらず**「一部の社員のみの利用」という回答が多く、社内浸透には課題がある**と考えられます。また、約6割の企業が生成AIサービスの自社開発に踏み出しており、ベンダー製生成AIサービスの単純利用から進展し、自社に適した生成AIサービスの開発ニーズが見られます。こうしたデータからも積極的に取り組もうとする企業の姿勢が伺えますが、今後全社的な導入を実現するためには、**ビジネス、テクニカル、人材の、以下3つの観点での課題**があると筆者は考えます。

①ビジネスの観点：経営層のコミットメントと、成果や価値を出せるユースケースの選定が重要。長期的な視点で、さまざまな応用や波及が見込めるテーマやユースケースを選ぶことが望ましい

②テクニカルの観点：RAGのような技術を用いた生成AIアプリケーションで、実用レベルの性能を出すには難しく、多くの工夫が必要。技術動向につねに注目し取り入れることと、継続的な改善が必要

③人材の観点：生成AIの進化に追随する学習が追いつかず、教育可能な人材が限られている。自社だけで解決することが難しい場合もあるため、外部リソースの活用も検討すべき

　本書の解説を通じて、生成AIの理解と知見が深まり、読者の生成AI活用戦略策定の一助となることを願っています。（小泉）

【業界別】AIの活用動向 ＆
効率化シミュレーション

第4章では、広告や小売、教育、医療、運輸
など、各業種におけるAIの活用状況と、今
後の活用可能性について紹介します。また、
各業種で働く従業員が、業務に生成AIを効
果的に導入できた場合、業界全体としてどの
くらい作業時間を削減できるかを、ビジネス
活用の参考としてシミュレーションしました。

クリエイティブ制作から運用最適化まで、幅広い業務を自動化

▶ AIのおもな活用事例

デジタル広告のクリエイティブ制作

AIによる広告クリエイティブの生成は、効果的な広告を制作するうえで大きなメリットをもたらします。AI技術の1つであるGAN（敵対的生成ネットワーク）を活用することで、リアルな商品画像やシーンを自動的に生成できます。これにより、たとえば人物写真の利用に必要な許可取りや撮影にかかる時間・費用を削減できます。

さらに、**AIは膨大なデータセットを学習し、どのようなビジュアル要素が視覚的魅力を引き出し、高いクリックスルー率（CTR）を生み出すかを予測**できます。その結果、AIは最も効果的な広告デザインの提案を自動で行い、広告キャンペーンの成果を最大化するための迅速なA/Bテストと最適化を実現します。

デジタル広告のターゲティング

AIによる広告ターゲティングは、ユーザーの行動、興味、好みを分析し、パーソナライズされた広告を提供することで、クリック率を向上させます。たとえば、Google AdSenseのようなコンテンツ連動型広告配信サービスは、Webサイトの内容や訪問者を分析し、ユーザーにとって関連性の高い広告を表示します。

また、**訪問履歴や購入履歴などのデータを一元管理することで、オーディエンスターゲティングの効率化**を図ります。この統合的なアプローチにより、広告主はコスト削減と高いROI（投資利益率）を実現し、ユーザーには関連性の高い広告体験を提供できます。AIによるターゲティングは、広告のリーチとエンゲージメントの向上に大きく貢献します。

デジタル広告の運用最適

広告におけるAIの活用は、広告キャンペーンの効率化と品質向上に大きく寄与しま

す。デジタル広告の広告運用最適化において、ターゲットオーディエンスの選定、広告コンテンツのカスタマイズ、配信時間の最適化など、多岐にわたる分野で役立ちます。たとえば、機械学習アルゴリズムを用いることで、**消費者の過去の行動データから最も関心を持ちそうな人々を特定し、彼らに向けて広告を配信**することができます。

コンバージョン率などのパフォーマンス指標をリアルタイムで分析し、キャンペーンの改善点を即座に特定できるため、効率的な広告運用を実現します。

● 生成AIによる稼働削減効果

広告業における生成AIによるビジネスチャンスを定量的に評価するために、クリエイティブ制作、営業資料、レポート作成などの文書作成業務を担当する従業員が、生成AIを効果的に活用できた場合の稼働削減効果をシミュレーションしました。

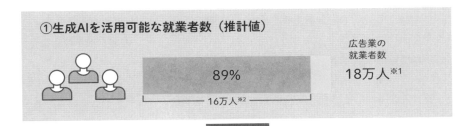

①生成AIを活用可能な就業者数（推計値）

89%

16万人※2

広告業の
就業者数

18万人※1

②生成AIにより毎月10時間の作業時間を削減できた場合※3

③生成AIによる削減効果

時間に換算すると

160万時間／月 ＝
①×②

就業者数に換算すると

0.9万人／月相当
①×②÷179時間／月※4

※1　2023年10月実施の労働力調査（産業、職業別就業者数）からの引用（大分類：学術研究、専門・技術サービス業／中分類：広告業）

※2　2023年10月実施の労働力調査（産業、職業別就業者数）から、生成AIの活用可能性が高い、管理的職業従事者、専門的・技術的従事者、事務従事者、販売従事者（営業職業従事者のみ）の就業者数を合計

※3　生成AIによる作業時間の削減例：750文字の文書作成時間（約15分と仮定）2回／日×20営業日＝600分／月＝10時間／月（実際の削減時間は、生成AIの有効回答率も考慮して計算する必要があります）

※4　2023年10月実施の労働力調査（産業、職業別平均月間就業時間）からの引用

在庫管理・価格最適化による利益率＆顧客満足度アップ

AIのおもな活用事例

在庫管理の最適化・顧客体験の向上

　AIは小売業において、在庫管理を最適化するために利用されています。たとえば、販売データの分析を通じて在庫の需要を予測し、過剰在庫や品切れを防ぎます。また、店内の映像や顧客行動を分析することで、どの商品がよく売れているか、どの商品の補充が必要かを把握するのにも役立ちます。このようにして、**在庫レベルの最適化、効率的な商品配置、供給チェーンの効率化に貢献**しています。

　さらに、消費者の購買パターンや季節のトレンドを分析し、将来的な商品需要の変化にも対応します。これにより、小売業者はより効果的なプロモーション戦略や価格設定を行うことができます。また、オンライン（Webサイト）とオフライン（店舗）の両方のデータを統合できれば、顧客体験を向上させるための洞察も考えてくれます。具体的には、顧客のオフラインでのフィードバックデータやオンラインレビューを分析して、商品の改善や新商品開発にも活用されます。こうした包括的なデータ分析を通じて、AIは小売業の売上増加と顧客満足度の向上に大きく貢献していくと考えられます。

価格最適化

　小売業における価格監視と最適化にもAIは重要な役割を果たしています。市場トレンドを分析し、競合他社の価格設定を評価することが可能です。これにより、小売業者は最適な価格戦略を策定し、市場需要に応じた価格設定を行えます。

　また、**顧客の購買履歴や嗜好を考慮に入れ、個々のセグメントに合わせた価格設定をも可能**にします。このように、AIを活用することで利益の最大化と顧客満足度の向上を同時に実現可能です。

AI接客

AIを用いたチャットボットは、ECサイトにおいて顧客対話を自動化するために、利用が拡大していくと考えられます。これらのチャットボットは、顧客の質問・クレームに迅速に対応しトラブルシューティングを支援することで、消費者へ優れた顧客サービスを提供します。さらに、**おすすめ商品の提案や個別の対応にも利用されることで、顧客満足度の向上と効率的な顧客対応に貢献**できます。

▶ 生成AIによる稼働削減効果

小売業における生成AIによるビジネスチャンスを定量的に評価するために、企画書、営業資料、レポート作成などの文書作成業務を担当する従業員が、生成AIを効果的に活用できた場合の稼働削減効果をシミュレーションしました。

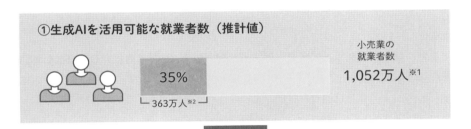

①生成AIを活用可能な就業者数（推計値）

35%　363万人※2

小売業の就業者数　1,052万人※1

②生成AIにより毎月10時間の作業時間を削減できた場合※3

③生成AIによる削減効果

時間に換算すると　**3,630万**時間／月　①×②

＝

就業者数に換算すると　**22万人**／月相当　①×②÷166時間／月※4

※1　2023年10月実施の労働力調査（産業、職業別就業者数）からの引用（大分類：卸売業、小売業／中分類：指定なし）

※2　2023年10月実施の労働力調査（産業、職業別就業者数）から、生成AIの活用可能性が高い、管理的職業従事者、専門的・技術的従事者、事務従事者、販売従事者（営業職業従事者のみ）の就業者数を合計

※3　生成AIによる作業時間の削減例：750文字の文書作成時間（約15分と仮定）×2回／日×20営業日＝600分／月＝10時間／月（実際の削減時間は、生成AIの有効回答率も考慮して計算する必要があります）

※4　2023年10月実施の労働力調査（産業、職業別平均月間就業時間）からの引用

ロボット接客とAIによる新人育成でサービス品質が向上

▶ AIのおもな活用事例

ロボット接客と多言語対応

　飲食店の深刻な人手不足の緩和において、AI技術の活用は多方面で進んでいます。注目すべきは、ファミリーレストランなどで貢献している配膳ロボットの導入です。これらのロボットにより各テーブルへの自動配膳が可能となり、従業員の負担を大幅に軽減しています。

　また、**AIの進化によって多言語対応が可能になり、外国人客に対して流暢な外国語での接客が実現**しています。たとえば、テーブルに備え付けの注文用タブレット端末に、AIによる音声認識と会話機能を組み込めば、外国語に堪能な人材を雇わずともインバウンドなどの需要に応えられます。

来客予測・自動発注

　AIを活用することで、来客数の予測に基づいた在庫管理と自動発注が可能になります。具体的には、**AIカメラやセンサーを使って店内の人流を解析し、そのデータから将来の来客数を予測**します。この予測データをもとに、必要な材料や商品の在庫を適切に管理し、自動的に発注するシステムが構築できます。

　たとえばチェーン店の場合、各店舗ごとの発注プロセスを一元化し、AIの来客数予測に基づいて必要な材料を自動で発注することができます。これにより、棚卸業務や在庫管理の負担が大幅に軽減され、人手によるミスも減少します。また、適切な在庫管理により商品の品切れや過剰在庫を防ぐことができ、経営の効率化が図れます。

新人育成

　飲食業におけるAIの活用は、人手不足や人材の頻繁な入れ替わりを克服するための効果的な手段となります。とくに、新入社員やアルバイトスタッフの教育にAIを

活用することで、既存従業員の業務負担を軽減し、教育の効率化と標準化を図れます。実際に、新人スタッフ向けの対話型ロールプレイングAIシステムがあります。AIが自動で応答を行うため、**時間や場所を選ばず、実践的な接客の練習を行うことができます**。これにより、教育内容が標準化されるため、どの店舗においても一貫したサービス品質の提供が実現します。

▶ 生成AIによる稼働削減効果

　飲食業における生成AIによるビジネスチャンスを定量的に評価するために、企画書、営業資料、レポート作成などの文書作成業務を担当する従業員が、生成AIを効果的に活用できた場合の稼働削減効果をシミュレーションしました。

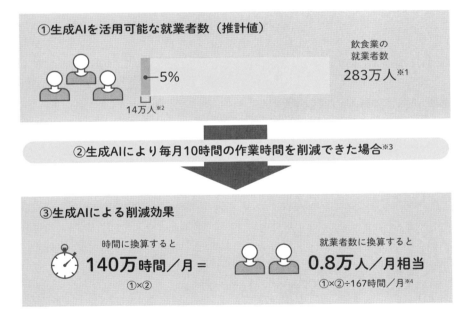

①生成AIを活用可能な就業者数（推計値）

飲食業の就業者数 283万人[※1]

-5%

14万人[※2]

②生成AIにより毎月10時間の作業時間を削減できた場合[※3]

③生成AIによる削減効果

時間に換算すると
140万時間／月 ＝
①×②

就業者数に換算すると
0.8万人／月相当
①×②÷167時間／月[※4]

※1　2023年10月実施の労働力調査（産業、職業別就業者数）からの引用（大分類：宿泊業、飲食サービス業／中分類：飲食店・持ち帰り・配達飲食サービス業）

※2　2023年10月実施の労働力調査（産業、職業別就業者数）から、生成AIの活用可能性が高い、管理的職業従事者、専門的・技術的従事者、事務従事者、販売従事者（営業職業従事者のみ）の就業者数を合計

※3　生成AIによる作業時間の削減例：750文字の文書作成時間（約15分と仮定）×2回／日×20営業日＝600分／月＝10時間／月（実際の削減時間は、生成AIの有効回答率も考慮して計算する必要があります）

※4　2023年10月実施の労働力調査（産業、職業別平均月間就業時間）からの引用

無人接客化と高付加価値な コンシェルジュサービス

▶ AIのおもな活用事例

無人接客化

　AI技術の進化により、宿泊業では無人接客化が進んでいます。従業員を介さずにチェックインや部屋の鍵の受け取りを可能にするもので、顧客にとっては待ち時間の削減や24時間対応の利便性をもたらします。このプロセスでは、AIが重要な役割を果たしています。まず、自動チェックイン端末はAIを利用して、顧客の本人確認を行うことで、効率的なチェックイン手続きを提供します。**顔認識技術を使ったID確認や、デジタル署名による書類処理**も、AIの支援によりスムーズに行われます。

　また、客室の鍵はデジタルキーとしてスマートフォンアプリ経由で提供されることが多く、これにはセキュリティの強化と顧客の利便性の両面でAIが活用されています。

コンシェルジュサービス

　AIを活用したコンシェルジュサービスでは、過去の宿泊記録やオンラインでの行動パターンを分析し、それぞれの顧客に合わせた提案を行います。たとえば、特定のアクティビティや食事を楽しんだ記録があれば、それに基づいたレストランや観光・体験の推薦を行います。

　また、AIチャットボットを介して、顧客がリアルタイムで質問やリクエストを行えるようにし、即時かつ個別のきめ細かな対応を実現します。自然言語処理技術とリアルタイム翻訳を用いることで、海外からの顧客に対して多言語に対応したサービスを提供することが可能となります。この技術により、**顧客の要望や質問を正確に理解し、適切な回答や情報を提供できるため、あらゆる国の顧客が安心してサービスを利用できます。**

セキュリティ強化

　AIはセキュリティ面でも大きな役割を果たします。**顔認識技術の導入により、不審者の識別や異常な動きを検知し、即座に警備員に警戒アラートを送信**することが可能です。これにより、宿泊客の安全を確保し、信頼と安心を付加価値としてアピールできます。また、このような高度なセキュリティシステムは、とくに高級ホテルやビジネスホテルでの顧客獲得に有効です。AIの導入により、人間の従業員はよりホスピタリティに直結する仕事に専念できるようになります。

▶ 生成AIによる稼働削減効果

　宿泊業における生成AIによるビジネスチャンスを定量的に評価するために、企画書、営業資料、レポート作成などの文書作成業務を担当する従業員が、生成AIを効果的に活用できた場合の稼働削減効果をシミュレーションしました。

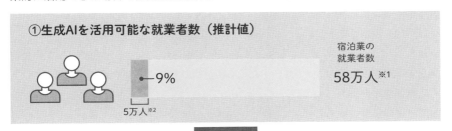

① 生成AIを活用可能な就業者数（推計値）

宿泊業の就業者数 58万人※1

9% 5万人※2

② 生成AIにより毎月10時間の作業時間を削減できた場合※3

③ 生成AIによる削減効果

時間に換算すると
50万時間／月＝
①×②

就業者数に換算すると
0.3万人／月相当
①×②÷179時間／月※4

※1　2023年10月実施の労働力調査（産業、職業別就業者数）からの引用（大分類：宿泊業、飲食サービス業／中分類：宿泊業）

※2　2023年10月実施の労働力調査（産業、職業別就業者数）から、生成AIの活用可能性が高い、管理的職業従事者、専門的・技術的従事者、事務従事者、販売従事者（営業職業従事者のみ）の就業者数を合計

※3　生成AIによる作業時間の削減例：750文字の文書作成時間（約15分と仮定）×2回／日×20営業日＝600分／月＝10時間／月（実際の削減時間は、生成AIの有効回答率も考慮して計算する必要があります）

※4　2023年10月実施の労働力調査（産業、職業別平均月間就業時間）からの引用

帳票処理などの業務効率化と融資審査の高速化が実現

▶ AIのおもな活用事例

帳票処理などの効率化

AI OCR（AIによる文字認識）技術の活用により、金融業界の帳票処理などの効率化が進んでいます。この技術は、**紙の文書やフォームから文字データを抽出し、デジタル化することで事務作業を自動化**します。結果として、データ入力の誤りを減らし、処理時間を短縮できます。

また、AIはこれらのデータをもとに機械学習を行い、文書の種類や内容を自動で識別する能力を高めています。これにより、形式の異なる帳票や書類が混ざっていても処理が自動化できるようになり、業務の効率化が一層進みます。さらに、AIによるデータ分析機能を活用することで、文書内の重要な情報やトレンドを抽出し、より高度なビジネスインサイトの獲得も可能になります。

融資審査

AIは貸出審査プロセスを支援し、迅速かつ精度の高い審査を可能にします。**AIが複雑なデータを分析し、リスク評価を行うことで、審査プロセスが効率化**されます。これにより、金融機関は適切な貸出決定をスピーディーに行えるようになり、顧客満足度も向上します。

また、AIの導入によって人的ミスのリスクが低減され、より信頼性の高い審査が実現されます。この他にも新たな金融商品の開発や既存製品の改善にも貢献し、金融業に新しいビジネス機会をもたらす可能性があります。このようにAIの活用は、金融業における貸出審査のみならず、幅広い分野でのイノベーションを促進しているのです。

金融データの分析と予測

　金融データの分析と予測において、AIは多様なデータソースを活用して複雑な市場の挙動を理解し、より精度の高い予測を行います。たとえば、**ニュース記事、ソーシャルメディアのトレンド、経済指標などの非構造化データを分析することで、市場の感情や影響要因を把握することが可能**です。また、ビッグデータをリアルタイムで処理し、瞬時の市場変動に対応するアルゴリズム取引の最適化にも寄与します。さらに、機械学習モデルを用いたクレジットスコアリングや不正取引の検出など、リスク管理の面でも大きな進歩が見られます。

◗ 生成AIによる稼働削減効果

　金融業における生成AIによるビジネスチャンスを定量的に評価するために、企画書、営業資料、帳票レポート作成などの文書作成業務を担当する従業員が、生成AIを効果的に活用できた場合の稼働削減効果をシミュレーションしました。

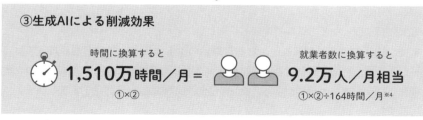

①生成AIを活用可能な就業者数（推計値）

95%

金融業の就業者数 159万人[1]

——151万人[2]——

②生成AIにより毎月10時間の作業時間を削減できた場合[3]

③生成AIによる削減効果

時間に換算すると
1,510万時間／月 ＝
①×②

就業者数に換算すると
9.2万人／月相当
①×②÷164時間／月[4]

※1　2023年10月実施の労働力調査（産業、職業別就業者数）からの引用（大分類：金融業、保険業）

※2　2023年10月実施の労働力調査（産業、職業別就業者数）から、生成AIの活用可能性が高い、管理的職業従事者、専門的・技術的従事者、事務従事者、販売従事者（営業職業従事者のみ）の就業者数を合計

※3　生成AIによる作業時間の削減例：750文字の文書作成時間（約15分と仮定）×2回／日×20営業日＝600分／月＝10時間／月（実際の削減時間は、生成AIの有効回答率も考慮して計算する必要があります）

※4　2023年10月実施の労働力調査（産業、職業別平均月間就業時間）からの引用

教員の労働時間削減と充実したカリキュラム生成を両立

▶ AIのおもな活用事例

カリキュラム生成・パーソナル教育

　AIは教員が提供する**トピックやガイドラインに基づいて、適切な教材内容を提案し、授業計画やシラバスの作成、授業の枠組みを瞬時に生成**します。これにより、教材や資料作成時のタイプライティング作業が大幅に削減され、創造的な授業アプローチの提供が可能となります。

　たとえば、AIは歴史や科学の授業における事例研究や実験のアイデアを提案できます。さらに、学生の学習進度をリアルタイムで追跡し、個々の理解度や学習スタイルを把握することで、学生一人ひとりに合った学習計画も提供可能です。

言語学習支援

　言語学習におけるAIの活用は教材の翻訳だけでなく、英語教育における練習問題や模擬テストの作成、文法解説や単語学習の支援、会話練習のシミュレーション、そして個別の学習支援といった幅広い分野におよびます。AIの技術は、言語の翻訳や補足説明を自動化することで学習者の理解を深め、とくに英語教育においてはTOEICやTOEFLなどの試験対策にも役立ちます。

　また、文法や単語の学習支援、**自然な対話のシミュレーションを通じたコミュニケーション能力の向上に貢献し、学習者一人ひとりに合わせてカスタマイズされた教材やアクティビティの提供により、個別化された効果的な学習体験を実現**します。

テストの採点

　AIによる**画像認識と文字認識技術を活用して、記述式の試験やレポートの採点を自動化**することで、教員の採点にかかる時間と労力を削減します。公平で一貫性のある採点が可能となることで、採点作業に費やす時間を減らし、より教育の本質に集中できるようになります。AIの活用は、教育業におけるイノベーションを推進し、教員と生徒双方に多大な利益をもたらします。教員の労働時間の削減は、教育の質の向上だけでなく、教員の働きやすさにも大きく貢献していくでしょう。

▶ 生成AIによる稼働削減効果

　教育、学習支援業における生成AIによるビジネスチャンスを定量的に評価するために、教材、保護者便り、レポート作成などの文書作成業務において、生成AIを効果的に活用できた場合の稼働削減効果をシミュレーションしました。

①生成AIを活用可能な就業者数（推計値）

教育、学習支援業の就業者数　**345万人**[※1]

92%

316万人[※2]

②生成AIにより毎月10時間の作業時間を削減できた場合[※3]

③生成AIによる削減効果

時間に換算すると　**3,160万時間／月** = **20万人／月相当**　就業者数に換算すると

①×②　①×②÷155時間／月[※4]

※1　2023年10月実施の労働力調査（産業、職業別就業者数）からの引用（大分類：教育、学習支援業）
※2　2023年10月実施の労働力調査（産業、職業別就業者数）から、生成AIの活用可能性が高い、管理的職業従事者、専門的・技術的従事者、事務従事者、販売従事者（営業職業従事者のみ）の就業者数を合計
※3　生成AIによる作業時間の削減例：750文字の文書作成時間（約15分と仮定）×2回／日×20営業日＝600分／月＝10時間／月（実際の削減時間は、生成AIの有効回答率も考慮して計算する必要があります）
※4　2023年10月実施の労働力調査（産業、職業別平均月間就業時間）からの引用

高度なマッチングサービスの提供により、早期退職者が低減

▶ AIのおもな活用事例

求職者と求人のマッチング

　職業紹介業におけるAIの活用は、求職者と企業間のマッチングプロセスの効率化と精度向上に大きく貢献しています。従来、人材エージェントによる個人の判断や経験に依存していたマッチング作業は、AI技術を用いることで**データに基づいた客観的なアプローチに変化**しています。

　求職者のスキルや経験職種、希望条件などと企業側の募集要項を、AIによって精密にマッチングすることで、ミスマッチのリスクを減少させています。また、企業の要望をヒアリングし、その条件にマッチする人材の絞り込み、提案、契約までを人材コンサルタントが行います。これまで相当な時間を要してきた作業が大幅に短縮し、双方の満足度が向上します。さらに、**履歴書などをAIが自動的に読み取り、翻訳からデータ化までこなせます**。これにより人事部門の負担を大きく減らせます。

人事評価・エンゲージメント

　AIを用いた人事評価システムは、従業員のエンゲージメント向上にも重要な役割を果たします。**従業員のパフォーマンスを客観的なデータに基づいて評価することで、管理職・人事部の業務負担が軽減**されるだけでなく、従業員自身が自分の業務成果を明確に理解し、自己成長の機会を見出すことができます。従業員にとって、自分が公正に評価されているという安心感を与え、モチベーションの向上や職場へのより深いエンゲージメントにつながることで、退職率の低下を実現します。

　また、AIによる分析は、非構造化データをも活用し、メールや社内チャットの会話履歴から従業員のモチベーションを可視化します。これにより、従業員の個々の強みや改善点を明確にし、パーソナライズされたフィードバックやキャリア開発の提案が可能になります。

求職者とのコミュニケーション

　求職者と採用担当者間のコミュニケーションを強化するためにAIチャットボットを活用することが可能です。これにより、面接日程の自動調整が可能となり、**効率的な面接プロセスを実現し、双方の時間節約に貢献**します。さらに、求人内容の詳細や、会社の福利厚生制度に関する質問への回答も行えるため、求職者に対して必要な情報を提供する役割も果たしています。

生成AIによる稼働削減効果

　職業紹介業における生成AIによるビジネスチャンスを定量的に評価するために、求人原稿、スキルシート、レポート作成などの文書作成業務を担当する従業員が、生成AIを効果的に活用できた場合の稼働削減効果をシミュレーションしました。

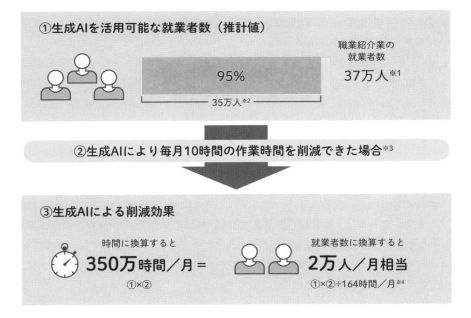

①生成AIを活用可能な就業者数（推計値）

95%

35万人[2]

職業紹介業の
就業者数

37万人[1]

②生成AIにより毎月10時間の作業時間を削減できた場合[3]

③生成AIによる削減効果

時間に換算すると
350万時間／月＝
①×②

就業者数に換算すると
2万人／月相当
①×②÷164時間／月[4]

※1　2023年10月実施の労働力調査（産業、職業別就業者数）からの引用（大分類：サービス業（他に分類されないもの）／中分類：職業紹介・労働者派遣業）
※2　2023年10月実施の労働力調査（産業、職業別就業者数）から、生成AIの活用可能性が高い、管理的職業従事者、専門的・技術的従事者、事務従事者、販売従事者（営業職業従事者のみ）の就業者数を合計
※3　生成AIによる作業時間の削減例：750文字の文書作成時間（約15分と仮定）×2回／日×20営業日＝600分／月＝10時間／月（実際の削減時間は、生成AIの有効回答率も考慮して計算する必要があります）
※4　2023年10月実施の労働力調査（産業、職業別平均月間就業時間）からの引用

診療記録の自動化による 医療現場の業務効率化が加速

➡ AIのおもな活用事例

診療記録の自動化

AIの活用による診療記録の自動化は、医療現場での業務効率化と質を大きく向上させます。まず、AIは**音声認識技術を利用して、医師の口頭での診察内容をリアルタイムでテキスト化し、電子健康記録システムに自動入力**します。これにより、医師の手書きメモや手入力の時間が削減され、診療に集中できるようになります。

また、AIは医療記録の分析にも活用されます。患者の病歴や治療履歴から重要な情報を抽出し、症状や診断に関連する洞察を提供することで、医師がより適切な治療計画を立てるのに役立ちます。さらに、患者の診療記録から健康状態の変化を追跡し、異常があれば医師に警告する機能も持っています。これにより、疾患の早期発見や急変への迅速な対応が可能になります。

画像診断

AIを用いた医療画像解析は、医師の診断を補完し、より正確で迅速な診断を可能にします。たとえば、**放射線科ではCTやMRIなどの画像をAIが解析することで、医師が見落としやすい微細な変化を検出**することができます。皮膚科では、皮膚の写真からAIが皮膚がんを検出可能です。これらの技術は、診断の正確性を向上させ、疾患の早期発見と治療につながります。

福祉ロボット

AI搭載ロボットは、介護施設での利用者の日常生活を豊かにし、介護者の負担を軽減するためにも重要な役割を果たします。利用者の話し相手となり、基本的な生活のアドバイスや健康管理のサポートにつながります。ロボットは利用者の行動パターンや好みを学習し、パーソナライズされたコミュニケーションを実現します。このよ

うな対話を通じて、利用者は自分の感情や考えを表現する機会を得ることができ、精神的な健康の維持に寄与します。また、これらのロボットは、音楽療法やレクリエーション活動など、エンターテイメントとしての機能も持ち合わせています。

▶ 生成AIによる稼働削減効果

医療・福祉業における生成AIによるビジネスチャンスを定量的に評価するために、診療記録、院内資料、レポート作成などの文書作成業務を担当する従業員が、生成AIを効果的に活用できた場合の稼働削減効果をシミュレーションしました。

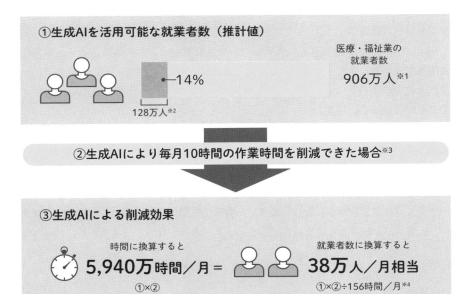

①生成AIを活用可能な就業者数（推計値）

医療・福祉業の就業者数
906万人[※1]

—14%

128万人[※2]

②生成AIにより毎月10時間の作業時間を削減できた場合[※3]

③生成AIによる削減効果

時間に換算すると
5,940万時間／月 ＝
①×②

就業者数に換算すると
38万人／月相当
①×②÷156時間／月[※4]

※1　2023年10月実施の労働力調査（産業、職業別就業者数）からの引用（大分類：医療、福祉）

※2　2023年10月実施の労働力調査（産業、職業別就業者数）から、生成AIの活用可能性が高い、管理的職業従事者、事務従事者、販売従事者（営業職業従事者のみ）の就業者数を合計

※3　生成AIによる作業時間の削減例：750文字の文書作成時間（約15分と仮定）×2回／日×20営業日＝600分／月＝10時間／月（実際の削減時間は、生成AIの有効回答率も考慮して計算する必要があります）

※4　2023年10月実施の労働力調査（産業、職業別平均月間就業時間）からの引用

ソフトウェア開発から ユーザーサポートまでを効率化

▶ AIのおもな活用事例

ソフトウェア開発

　AIのソフトウェア開発における応用は、**要件定義から設計、製造、テストまでの全工程をカバー**します。開発プロセスの上流工程である要件定義では、顧客要求の具体化や抽象的な要求の言語化、リスクやコスト見積もりの妥当性評価にAIを活用することが可能です。

　AIの活用は、プログラミング言語のモダナイゼーションにおいてもプロセス全体の効率化と精度向上をもたらし、大幅な生産性向上が期待されます。設計段階では、古いプログラミング言語で書かれたレガシーシステムのリバースエンジニアリングにAIを活用し、効率的に設計情報を抽出します。製造工程では、AIを使用して古いプログラミング言語を新しい言語に変換し、効率化を図ります。テスト段階では、過去の設計書や試験項目表との比較を通じて、テスト項目を自動的に抽出することが可能です。

バグ検出

　AI技術はソフトウェア開発において、コード分析、バグ予測、自動修正提案の3つの方法で大きな影響を与えています。まず、**自動コード分析は、潜在的なバグを迅速に特定し、開発者がコードの品質を効率的に向上させることを支援**します。次に、過去のデータから学習したAIは、新しいコードでバグが発生する可能性が高い箇所を予測し、開発者が特定の問題領域に事前に対処できるようにします。最後に、既知のバグパターンを学習し、問題の自動修正提案を行うことで、とくに頻繁に発生するバグの迅速な解決を支援します。

ユーザーサポート

　AIはチャットボットや自動応答システムを介して、顧客からの問い合わせに迅速に対応できることはこれまでにも述べた通りです。これにより、**顧客満足度を向上させるとともに、サポートスタッフの負担を軽減**することが可能になります。AIチャットボットは、一般的な問い合わせやトラブルシューティングに対応し、顧客が必要とする情報を瞬時に提供します。さらに、顧客の過去の問い合わせ履歴や使用パターンを分析し、個々の顧客に合ったパーソナライズされたサポートを提供できます。

▶ 生成AIによる稼働削減効果

　情報通信業における生成AIによるビジネスチャンスを定量的に評価するために、設計書、プログラム、レポート作成などの文書作成業務を担当する従業員が、生成AIを効果的に活用できた場合の稼働削減効果をシミュレーションしました。

①生成AIを活用可能な就業者数（推計値）

96%　274万人[2]

情報通信業の就業者数　285万人[1]

②生成AIにより毎月10時間の作業時間を削減できた場合[3]

③生成AIによる削減効果

時間に換算すると　2,740万時間／月　＝　就業者数に換算すると　16万人／月相当

①×②　　　①×②÷173時間／月[4]

※1　2023年10月実施の労働力調査（産業、職業別就業者数）からの引用（大分類：情報通信業）

※2　2023年10月実施の労働力調査（産業、職業別就業者数）から、生成AIの活用可能性が高い、管理的職業従事者、専門的・技術的従事者、事務従事者、販売従事者（営業職従事者のみ）の就業者数を合計

※3　生成AIによる作業時間の削減例：750文字の文書作成時間（約15分と仮定）×2回／日×20営業日＝600分／月＝10時間／月（実際の削減時間は、生成AIの有効回答率も考慮して計算する必要があります）

※4　2023年10月実施の労働力調査（産業、職業別平均月間就業時間）からの引用

4.10 不動産業におけるAIの活用

物件説明文の自動生成と不動産査定の高速・最適化

📖 AIのおもな活用事例

物件説明文の自動生成

　不動産業界、とりわけ売買や賃貸の仲介業では、物件の契約を目指してさまざまな営業活動や広告活動が行われています。なかでも物件の説明文は、間取りや周辺環境、アピールポイントなどを法令にそいながら魅力的に示す必要があるため、一定の法律知識やコピーライティング能力が必要になります。この業務にAIを使うことで、これらのハードルをクリアした魅力あふれる説明文を生成できます。その空いた時間で、新しい物件探しや現地案内など、人間にしかできない足を使った営業活動を強化できます。結果として、取り扱い物件数の増加や契約率の向上につながります。

不動産査定

　不動産査定は、AIを活用した**大規模な取引データを分析し、市場動向や物件特性を詳細に理解する**ことによって、**精度の高い査定価格を提供**します。従来の手法に比べ、AIは膨大な量のデータからパターンを見出し、そのデータをもとにした予測価格を算出することができるため、より現実に即した価格設定が可能になります。

　また、**AI査定は物件の立地、広さ、築年数だけでなく、市場の供需状況や近隣の取引価格など、複数の要因を総合的に分析**することで、売却や購入の際の適切な価格帯を提示します。この技術を利用することで、不動産の売主や買主は、市場価格に基づいた合理的な判断を下すことができ、より透明性があり納得感のある取引を行うことが可能になります。

顧客管理、問い合わせ受付

　不動産の顧客管理では、AI技術を活用して物件に関する問い合わせが自動で行えるようになっています。顧客が特定の物件に関して質問や要望を持った場合、AIが

即座に反応し、詳細情報や関連する物件オプションを提供します。これにより、顧客はいつでも必要な情報を入手でき、物件選びのプロセスが大幅にスムーズになります。さらに、AIは**顧客の過去の検索傾向や好みを分析し、パーソナライズされた物件提案を行うことが可能**です。

◗ 生成AIによる稼働削減効果

不動産業における生成AIによるビジネスチャンスを定量的に評価するために、物件情報、営業資料、レポート作成などの文書作成業務を担当する従業員が、生成AIを効果的に活用できた場合の稼働削減効果をシミュレーションしました。

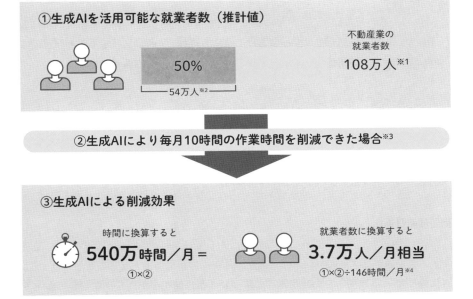

① 生成AIを活用可能な就業者数（推計値）

50%
—— 54万人※2 ——

不動産業の就業者数
108万人※1

② 生成AIにより毎月10時間の作業時間を削減できた場合※3

③ 生成AIによる削減効果

時間に換算すると
540万時間／月 ＝
①×②

就業者数に換算すると
3.7万人／月相当
①×②÷146時間／月※4

※1　2023年10月実施の労働力調査（産業、職業別就業者数）からの引用（大分類：不動産業、物品賃貸業／中分類：不動産業）

※2　2023年10月実施の労働力調査（産業、職業別就業者数）から、生成AIの活用可能性が高い、管理的職業従事者、専門的・技術的従事者、事務従事者、販売従事者（営業職業従事者のみ）の就業者数を合計

※3　生成AIによる作業時間の削減例：750文字の文書作成時間（約15分と仮定）×2回／日×20営業日＝600分／月＝10時間／月（実際の削減時間は、生成AIの有効回答率も考慮して計算する必要があります）

※4　2023年10月実施の労働力調査（産業、職業別平均月間就業時間）からの引用

4.11 運輸業におけるAIの活用

貨物量予測と配送経路最適化による労働力の最適化

● AIのおもな活用事例

貨物量予測

　AIは過去数年分の配送データから機械学習を用いて荷物量を予測できます。AIの予測能力により、**各配送センターにおける荷物の流れを正確に見積もることが可能になり、スタッフの勤務シフトやトラックの配車計画を効率的に管理**できるようになります。

　また、AIの導入によって、配送センターでは地域差や季節、曜日、さらには突発的な販売イベントによる荷物量の変動に柔軟に対応できるようになります。以前は現場の担当者の直感や経験に依存していた配送計画が、AIによる精密なデータ分析により、より科学的かつ効率的な方法で行われるように変わりました。これにより、物流業界はコスト削減と配送時間の短縮を実現しています。

配送経路最適化

　AIを活用したアルゴリズムは、日々変化する複数の配送地点に対して最適な配送ルートを計算します。これにより、配送の効率を大幅に向上させることができます。具体的には、AIは**その日の配送地点に基づいて最短時間で配送を完了できるルートを選定し、それにより全体の配送時間の短縮と運送コストの削減を実現**します。また、交通渋滞や天候の変化など、外部環境の変動に対しても柔軟な対応が可能です。さらに、リアルタイムで情報を分析し、必要に応じて配送ルートを動的に調整する能力も持っています。この技術を活用することで、予期せぬ遅延を避け、毎日変わる配送要件に迅速に適応し、よりスムーズで効率的な配送作業が可能になります。

自動運搬ロボット

　AIを搭載したロボットを用いて、倉庫内での荷物のピッキングや運搬を自動化し

ます。これにより、作業効率が向上し、人的ミスの低減につながります。さらに、これらのロボットは連続稼働が可能で、とくに繁忙期においても効率的な作業が維持できます。重量物の取り扱いや高所作業も安全に行うことができ、作業員の負担軽減と安全確保にも寄与します。ピッキング作業はリアルタイムに出荷情報にも反映され、かつ、ロボット同士が通信することで作業の調整も行え、倉庫内のトラフィックを効率的に管理することが可能です。

◗ 生成AIによる稼働削減効果

運輸業における生成AIによるビジネスチャンスを定量的に評価するために、事業所内資料、営業資料、レポート作成などの文書作成業務を担当する従業員が、生成AIを効果的に活用できた場合の稼働削減効果をシミュレーションしました。

①生成AIを活用可能な就業者数（推計値）

28%
└93万人※2┘

運輸業の
就業者数
337万人※1

②生成AIにより毎月10時間の作業時間を削減できた場合※3

③生成AIによる削減効果

時間に換算すると
930万時間／月 =
①×②

就業者数に換算すると
5.5万人／月相当
①×②÷170時間／月※4

※1　2023年10月実施の労働力調査（産業、職業別就業者数）からの引用（大分類：運輸業、郵便業）

※2　2023年10月実施の労働力調査（産業、職業別就業者数）から、生成AIの活用可能性が高い、管理的職業従事者、専門的・技術的従事者、事務従事者、販売従事者（営業職業従事者のみ）の就業者数を合計

※3　生成AIによる作業時間の削減例：750文字の文書作成時間（約15分と仮定）×2回／日×20営業日＝600分／月＝10時間／月（実際の削減時間は、生成AIの有効回答率も考慮して計算する必要があります）

※4　2023年10月実施の労働力調査（産業、職業別平均月間就業時間）からの引用

AIによるプロジェクト管理により労働生産性が大きく向上

▶ AIのおもな活用事例

プロジェクト管理

AIの応用により、建設業のプロジェクト管理は大きく変革されます。この技術は、複雑なプロジェクトのデータを分析し、最適なスケジュールとリソース割り当てを提案します。AIは**過去のプロジェクトデータを学習することで、リスク評価、タイムラインの設定、コスト予測を行い、より精度の高いプランニングを実現**します。

また、プロジェクトの進行に伴う変動に柔軟に対応し、リアルタイムで計画の調整を行えます。これにより、遅延やコストオーバーランのリスクを低減し、プロジェクトの成功確率を高めます。さらに、AIはチームメンバーのスキルや経験を考慮した上で、タスクを効果的に割り当てることができます。これにより、チームの生産性を最大化し、メンバーの能力を最適に活用することが可能です。

物流マネジメント

前節でも触れたAIによる物流プロセスの改善は、建設の現場でも大いに貢献します。建材の需要予測、在庫管理、配送スケジューリングにおいて重要な役割を果たします。過剰在庫のリスクを減らし、必要な材料が必要なときに正確に届けられるようになります。**AIに基づく予測モデルを使用することで、建設プロジェクトのさまざまな段階において必要な材料の量を正確に予測でき、材料の過不足によるコストの増加や工期の遅れを防ぎます。**

また、AIは過去のデータを分析し、最適な配送ルートを特定することで、物流コストを削減し、配送効率を向上させます。

自律作業型ロボット

　AIが熟練作業員の技術を学習し、さまざまな作業環境に適応する能力を持つことで、24時間ほぼ休むことなく稼働し、建設業界の人手不足問題の解決に貢献しています。また、**無人での作業は、過酷な労働条件や安全リスクの軽減にも寄与しており、建設現場の作業環境改善**にもつながっています。この技術の導入は、とくに人手不足が懸念されている建設業界において、2024年4月に適用開始された働き方改革関連法への対応策として期待されています。

▶ 生成AIによる稼働削減効果

　建設業における生成AIによるビジネスチャンスを定量的に評価するために、設計書、プロジェクト計画書、レポート作成などの文書作成業務を担当する従業員が、生成AIを効果的に活用できた場合の稼働削減効果をシミュレーションしました。

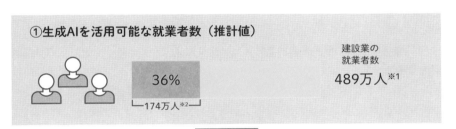

①生成AIを活用可能な就業者数（推計値）

36%　└174万人※2┘

建設業の就業者数　489万人※1

②生成AIにより毎月10時間の作業時間を削減できた場合※3

③生成AIによる削減効果

時間に換算すると　1,740万時間／月＝　①×②

就業者数に換算すると　11万人／月相当　①×②÷162時間／月※4

※1　2023年10月実施の労働力調査（産業、職業別就業者数）からの引用（大分類：建設業）

※2　2023年10月実施の労働力調査（産業、職業別就業者数）から、生成AIの活用可能性が高い、管理的職業従事者、専門的・技術的従事者、事務従事者、販売従事者（営業職業従事者のみ）の就業者数を合計

※3　生成AIによる作業時間の削減例：750文字の文書作成時間（約15分と仮定）×2回／日×20営業日＝600分／月＝10時間／月（実際の削減時間は、生成AIの有効回答率も考慮して計算する必要があります）

※4　2023年10月実施の労働力調査（産業、職業別平均月間就業時間）からの引用

製品開発、製造現場の安全管理など ハード・ソフト両面で人間をサポート

🔵 AIのおもな活用事例

製品開発

　製造業における製品開発においてAIの活用が進んでいます。たとえば、モーターの開発では、AIを活用してゼロベースで設計することに成功した事例などがあります。このアプローチにより、従来の人の手による設計を超える性能の向上が達成され、出力が大幅に強化されました。

　AIは**材料の種類や配置を自動で計算し、繰り返しのシミュレーションを通じて設計を最適化**します。この進化的アルゴリズムによる設計手法は、開発期間を大幅に短縮し、効率的な製品開発を可能にしています。また、この技術は他の製品にも応用が期待されており、製造業におけるAIの活用が設計プロセスの変革を推進しています。

自律制御搬送装置

　自律制御搬送装置においてAIの活用は、製造業の物流効率化に革命をもたらしています。AIを核とした**自律走行技術を搬送装置に組み込むことで、これらの装置は製造現場内での物品輸送を自動で行うことが可能**になります。環境を認識し、最適なルートを計算して障害物を避けながら目的地へと物品を運びます。

　また、搬送装置同士の協調動作も管理可能です。これにより、複数の装置が効率的に作業を分担し、輸送プロセス全体の最適化を実現します。AI技術によるリアルタイムのデータ分析とルート計算能力は、搬送装置の運用効率を大幅に向上させ、製造現場の生産性と安全性を高める重要な役割を果たしています。

生産ラインの効率化

　生産ラインの効率化にもAIは大きな役割を果たしており、リアルタイムでの生産データの分析を通じて、プロセスの継続的な改善や生産計画の最適化に貢献していま

す。また、**従業員の安全を確保するための環境監視や、危険予測にもAI技術が活用されており、作業場の安全性の向上に寄与**しています。これらの例からもわかるように、AIは製造業において多方面でその効果を発揮し、生産性の向上、コスト削減、品質保証、安全性の確保など、企業の競争力を高めるための重要なテクノロジーとなっています。

生成AIによる稼働削減効果

　製造業における生成AIによるビジネスチャンスを定量的に評価するために、設計書、事業所内資料、レポート作成などの文書作成業務を担当する従業員が、生成AIを効果的に活用できた場合の稼働削減効果をシミュレーションしました。

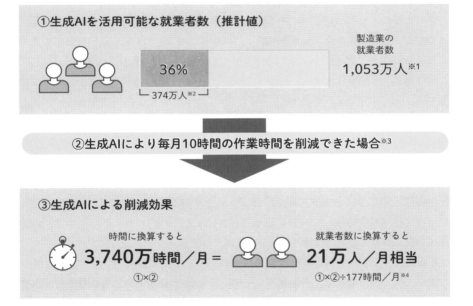

①生成AIを活用可能な就業者数（推計値）

36%　374万人※2

製造業の就業者数　1,053万人※1

②生成AIにより毎月10時間の作業時間を削減できた場合※3

③生成AIによる削減効果

時間に換算すると　3,740万時間／月＝　①×②

就業者数に換算すると　21万人／月相当　①×②÷177時間／月※4

※1　2023年10月実施の労働力調査（産業、職業別就業者数）からの引用（大分類：製造業）
※2　2023年10月実施の労働力調査（産業、職業別就業者数）から、生成AIの活用可能性が高い、管理的職業従事者、専門的・技術的従事者、事務従事者、販売従事者（営業職業従事者のみ）の就業者数を合計
※3　生成AIによる作業時間の削減例：750文字の文書作成時間（約15分と仮定）×2回／日×20営業日＝600分／月＝10時間／月（実際の削減時間は、生成AIの有効回答率も考慮して計算する必要があります）
※4　2023年10月実施の労働力調査（産業、職業別平均月間就業時間）からの引用

Column

社会的課題を乗り越えるために AIを活用する

　出生率の低下、そして超高齢化社会といったさまざまな要因で労働人口が減少し続けるいま、私たちは時代の大きな転換点にいます。そのようななか、**AIの導入は労働者不足の課題を解決するための重要な戦略**として期待されています。この進化は、ときに人間の労働を補完し、ときに置き換えることで、組織の生産性を向上させるだけでなく、従業員を単純作業から解放し、より創造的で付加価値の高い業務に専念できるようにすることを目指しています。AIの持つ予測分析能力を活用することで、企業は需要の変動やリスクへの早期対応が可能になり、資源をより効率的に配分できます。

　しかし、この進歩には課題も伴います。技術導入とその適応は、すべての企業や組織にとって容易なわけではありません。適切な技術選定から始まり、従業員への教育、システムのカスタマイズにいたるまで、多くの取り組みが必要です。また、AI導入に伴う初期投資の負担も無視できません。

　さらに、AIによる自動化が進むことで、一部の職種が不要になる可能性があり、雇用の変化や職業の移行に適応する必要が生じます。AIの判断の透明性や責任の所在を明確にすることも、倫理的、社会的課題として重要です。

　私たちは、これらの課題を乗り越えながら、AIとともに働く新たな社会へと移行しています。**この変化は、労働者不足を補い、人間とAIが協力し合いながら、より創造的で効率的な未来を築いていくことを可能**にします。私たちの社会は、AIの力を借りて、未来に向けた大きな一歩を踏み出しているのです。（大塚）

［目的別］生成AIの活用事例

第4章では業界別の生成AIの活用動向をシミュレーションとともに解説しました。第5章ではその流れを受けて、文書作成やクリエイティブ制作、ソフトウェア開発といった各ビジネスプロセスにおける生成AIの活用事例に焦点を当てます。事例の参考となる具体的なサービスや企業については、巻末付録にてリストアップしていますので、そちらをご覧ください。

5.1 文書作成

営業・マーケティング支援

有益な営業戦略策定につながる
商談内容の議事録生成AI

生成AIを用いた議事録生成ツールは、会議や商談の自動記録・要約、非言語要素分析、生産性向上、およびビジネスメリットの最大化に貢献

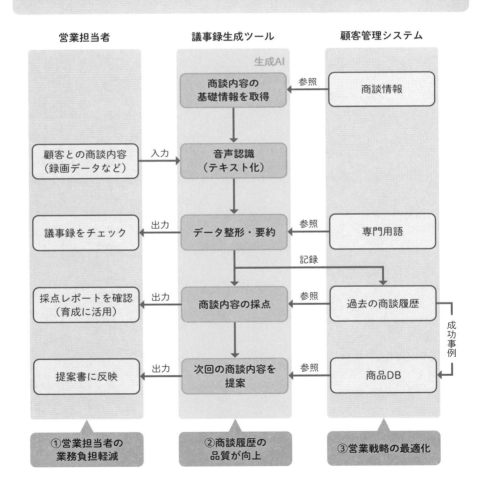

営業担当者　　　　　　議事録生成ツール　　　　　顧客管理システム

生成AI

	商談内容の 基礎情報を取得	←参照 商談情報
顧客との商談内容 （録画データなど） →入力	音声認識 （テキスト化）	
議事録をチェック ←出力	データ整形・要約	←参照 専門用語
		記録
採点レポートを確認 （育成に活用） ←出力	商談内容の採点	←参照 過去の商談履歴
		成功事例
提案書に反映 ←出力	次回の商談内容を 提案	←参照 商品DB

①営業担当者の
業務負担軽減

②商談履歴の
品質が向上

③営業戦略の最適化

概要・特徴

　商談内容の議事録生成AIツールは、会議や商談の内容を自動で記録し、議事録を作成するシステムです。**音声認識技術と生成AIを融合させた高精度な文字起こし技術を用いて、音声データをリアルタイムでテキスト化し、内容を分析して要約を生成**します。業界用語や特定の製品名を事前に登録することで、専門的な言葉も正確に文字起こしでき、商談での重要ポイントや話者ごとの発言を明確に区別して記録する機能も特徴です。

　また、このシステムは**過去の商談履歴から「勝ちパターン」を分析**し、採点する機能を備えています。オンライン会議と対面会議のどちらにも対応しており、多様なビジネスシーンでの使用が可能です。

ビジネスメリット

　生成AIを利用した議事録生成ツールを導入することで、企業は多くのビジネスメリットを享受できます。

①**効率的な業務運営**：手動での記録作業が不要になり、時間と人的リソースの節約が可能

②**業務品質の向上**：話者ごとに明確に区別して記録されるため、議事録の正確性が担保され、業務品質の向上につながる

③**事業成長への貢献**：勝ちパターン分析による商談の成功率アップは事業成長に寄与。また、情報品質管理が容易になることで誤解や情報の不一致が減少。これにより迅速で正確な意思決定を実現

Point

　このシステムの音声認識機能は多言語に対応しており、国際的なビジネス環境での会議や商談にも適用可能です。これにより、異なる言語を話す参加者間でも効果的なコミュニケーションと議事録の作成が実現されます。

多言語対応なので海外との会議や商談にも対応

5.1 文書作成

領域 金融・法務・事業運営

契約書作成プロセスを高速化する 法律知識を持つ生成AI

法律関係の知識を強化したLLMによる契約書の高速分析で、契約書作成 プロセスの合理化、コンプライアンスの向上、契約リスクの把握を支援

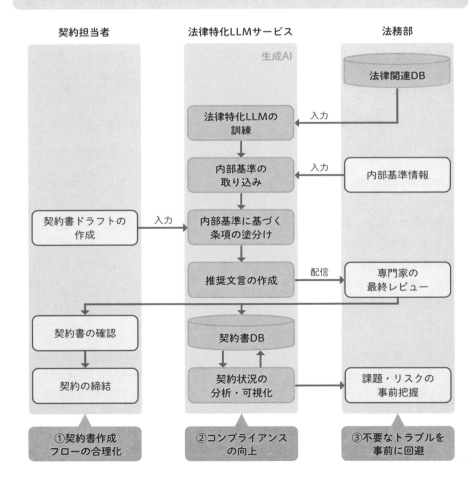

概要・特徴

　企業活動には契約がつきものであり、契約書を正確かつ迅速に作成することは大変重要です。しかし、汎用LLMの法律関係の知識は限定的であるため、契約書の作成業務には向きません。このようなニーズを満たすため、法律関係の知識を強化した「法律特化LLM」を提供するサービスがあります。

　法律特化LLMは法律関係のデータでの訓練を通して、**法律の専門用語や文脈を理解する能力**を備えています。さらに、契約に関する企業の内部基準の情報を取り込み、契約書中の文言が内部基準に準拠するかを判断できることから、企業の契約書作成フロー中の契約書レビューを担当します。契約書のドラフトが入力されると、**内部基準の知識に基づいて各条項を、「受入可」「要見直し」「非準拠」のように塗り分けて提示**します。

　たとえばリーガルテック企業Lawgeexが行った検証では、同社の特化型LLMは契約書の法的問題点を指摘するタスクにおいて、ベテラン弁護士が平均92分かかる仕事を26秒で完了したことが報告されています。このように、法律特化LLMは**高速に契約書の問題点を抽出できる他、内部基準を満たさないと判断した条項について、代わりの推奨文言を提示**することもできます。

　企業の契約書作成フローでは、法律特化LLMの一次レビューに続いて弁護士などの専門家が最終レビューを行うことが通常ですが、推奨文言の提示により、最終レビューの人手工数を削減することができます。さらに、法律特化LLMは**企業が保有する大量の契約書の内容の分析・可視化をサポートし、契約の観点からの企業の傾向やリスク、課題の把握を容易化**します。

ビジネスメリット

①契約書作成フローの合理化：高速レビューや推奨文言の提示により、契約書作成にかかる時間を大幅に短縮。また、契約書作成フローの合理化を促進し、不要な業務を削減

②コンプライアンスの向上：契約書レビュー業務の標準化により、コンプライアンスの向上を促進

③リスクの事前把握をサポート：専門知識に基づいた企業の契約状況の分析・可視化によって契約に関する課題やリスクの事前把握をサポート

5.1 文書作成

優秀な人材を引き付ける 求人原稿生成AI

生成AIを用いた求人原稿作成は原稿の効率化と品質向上に貢献し、人事部門の負担を軽減

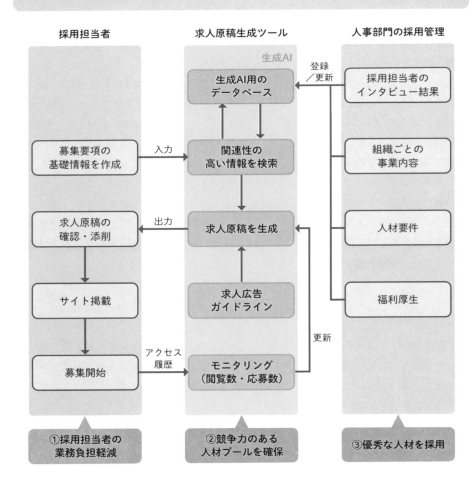

採用担当者　　　　　　求人原稿生成ツール　　　　　人事部門の採用管理

生成AI

生成AI用の
データベース

登録／更新

採用担当者の
インタビュー結果

募集要項の
基礎情報を作成
→ 入力 →
関連性の
高い情報を検索

組織ごとの
事業内容

求人原稿の
確認・添削
← 出力 ←
求人原稿を生成

人材要件

サイト掲載

求人広告
ガイドライン

福利厚生

募集開始
→ アクセス履歴 →
モニタリング
（閲覧数・応募数）

更新

①採用担当者の
業務負担軽減

②競争力のある
人材プールを確保

③優秀な人材を採用

概要・特徴

　求人原稿やスキルシートの生成AIツールは、採用担当者や人材ビジネス会社（派遣、紹介、採用代行など）向けの革新的なソリューションです。これらのツールは、最先端の自然言語処理技術を使用して、求人原稿やスキルシート、求職者の推薦文などを自動生成します。

　生成AIは文脈を理解し、**採用担当者のインタビュー結果や同僚からのフィードバック、仕事のやりがい、職場環境、福利厚生の特徴などを統合し、魅力的な求人原稿を自動生成**します。生成AIの言語理解能力により、これらの情報を適切に解釈し、意図や感情を捉えて表現します。

　また、応募してきた人材の**職務経歴書をもとに個々のスキルや経験などを適切に反映したスキルシートを自動生成**します。これによって採用担当者の業務をサポートし、現場とのミスマッチを防ぎます。さらに生成AIは多言語に対応しているため、海外からの人材を採用したい場合に課題となるコミュニケーションの障壁を低減します。

ビジネスメリット

①求人・採用業務をサポート：求人から採用までのプロセスごとに必要となる書類の生成を自動化し、採用担当者の負担を軽減し、求職者の魅力を引き出す

②企業の採用ブランドを強化：魅力的な求人原稿が企業の採用ブランドを強化。結果として自社に関心を持つ優秀な人材が集まりやすくなり、競争力のある人材がプールできる

③チームのイノベーションに貢献：優秀な人材の採用がチームのイノベーションと業務改善を促進。企業の競争力強化、持続的な成長につながる

> Point
>
> 　魅力的な求人原稿の生成は、優秀な人材を確保するのはもちろん、企業ブランドの向上や持続的な成長につながります。労働人口が減少するいま、AIを活用し、人材確保の競争に勝つことは大きなビジネスチャンスにつながります。

 AI活用による人材の確保は今後より重要に

5.2 計画策定

文章入力で出張予約を自動化する
生成AIによる出張管理システム

出張準備にかける工数の削減やきめ細やかな出張管理、意思決定のためのインサイト抽出をサポート

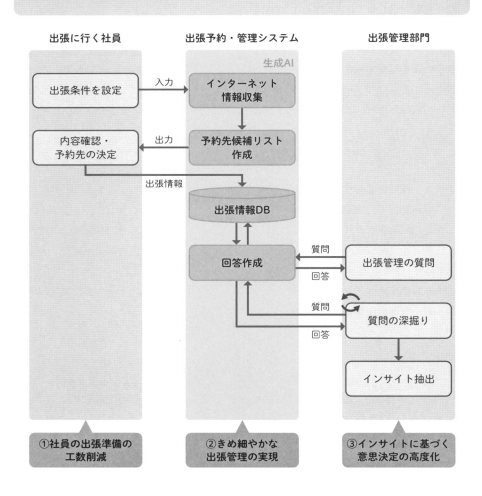

| 出張に行く社員 | 出張予約・管理システム | 出張管理部門 |

出張条件を設定 → 入力 → インターネット情報収集（生成AI）

内容確認・予約先の決定 ← 出力 ← 予約先候補リスト作成

出張情報 → 出張情報DB

回答作成 ← 質問／回答 → 出張管理の質問

質問／回答 → 質問の深掘り → インサイト抽出

①社員の出張準備の工数削減　②きめ細やかな出張管理の実現　③インサイトに基づく意思決定の高度化

概要・特徴

　社員の出張管理は企業が持つ課題の1つです。社員の側から見れば会社のポリシーを満たすホテルやフライトのなかから、できるだけ満足度の高い選択を効率よく行いたいという需要があります。会社の側から見ると、社員の出張を予算内で適切に管理する必要があり、そのうえで社員の出張体験の質を上げ、モチベーションを向上させたいという思いがあります。そうした両者のニーズを満たす生成AIを利用したシステムが開発されています。

　生成AIは**社員の出張準備にかかる労力を削減しつつ、より満足度の高い選択ができるようにサポート**します。たとえば、社員が「2月10日から3日間、東京駅近くに宿泊」といった簡単な文章を入力するだけで、インターネット情報を収集し、条件に合うホテルのリストを生成します。リストの作成にはさまざまな条件付けも可能で、会社のポリシーに合わないホテルを除外する、社員の出張履歴に基づいて満足度が高いと推測される順にランク付けができる他、ホテルの予約フォームの自動入力も可能です。

　生成AIは、**会社側の出張の管理もサポート**します。たとえば、生成AIと出張情報のデータベースをつないで「先月の日次の予約数は」などと入力することで、**管理側の細かなニーズに即した情報をインタラクティブに取得**できます。さらには、生成AIとの対話を通して「社員の満足度を下げずに、会社全体の出張費を10%削減するにはどうするか」と深掘りすることで、**最適な出張ポリシーの策定のためインサイトが得られる**可能性があります。

ビジネスメリット

①出張する社員の手間を削減：自分の好みや会社のポリシー、日時など複数の条件を満たしたホテルの選定から予約まで生成AIがサポート

②出張管理を効率化：インタラクティブな情報取得により、きめ細かな出張履歴や予定、予算の管理を実現

③財務の健全化と社員満足度を両立：生成AIとの対話により、財務の健全化と社員満足度を両立するポリシー策定など高度な意思決定をサポート

領域 金融・法務・事業運営

サプライチェーン最適化を支援する価格交渉自動化AI

生成AIを利用した価格交渉の自動化サービスが、多数の価格交渉の管理の効率化、価格交渉の満足度の向上、調達戦略の高度化を支援

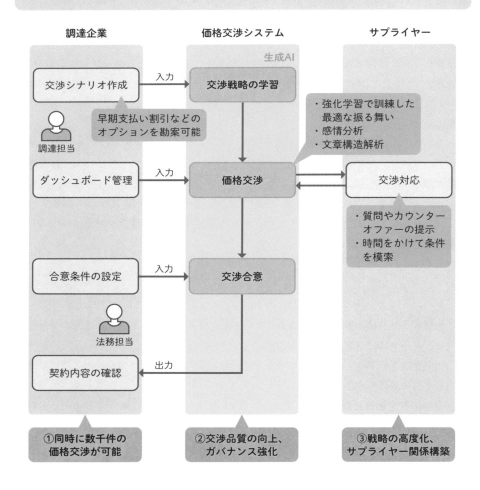

調達企業　　　　　価格交渉システム　　　　サプライヤー

生成AI

交渉シナリオ作成 　入力→　交渉戦略の学習

早期支払い割引などの
オプションを勘案可能

・強化学習で訓練した
　最適な振る舞い
・感情分析
・文章構造解析

調達担当

ダッシュボード管理 　入力→　価格交渉 　←→　交渉対応

・質問やカウンター
　オファーの提示
・時間をかけて条件
　を模索

合意条件の設定 　入力→　交渉合意

法務担当

契約内容の確認 　←出力　

①同時に数千件の
　価格交渉が可能

②交渉品質の向上、
　ガバナンス強化

③戦略の高度化、
　サプライヤー関係構築

概要・特徴

　大規模な調達業務を行う企業がすべてのサプライヤーと価格交渉することは実質的に不可能で、中小規模のサプライヤーとは価格交渉を行わずに画一的な契約書に署名しているという実態があります。これはサプライヤーとのかかわり方として最適とはいえませんが、価格交渉のためにバイヤーを増員すれば、その付加価値を上回るコストがかかります。このような課題解決のため、**AIを利用した自動価格交渉システム**が開発されています。

　AIは**企業の調達担当者が作成する交渉シナリオに基づいて交渉戦略を学習**します。この交渉シナリオには早期支払いへの割引、支払い期間の延長、解約条件の改善といった各種のオプションを勘案することが可能で、交渉戦略を学習したAIはサプライヤーと価格交渉を行います。交渉はおもにチャットボット形式で行われ、強化学習で交渉作法を学習したAIが、**サプライヤーの感情を感情分析で読み取りながら、また文章構造解析によって交渉項目を随時確認しながら交渉を進める**ことができます。サプライヤーは**対面での交渉の場のように時間に追われることなく、質問やカウンターオファーを提示しながら、納得のいく条件を探索する**ことが可能です。

　交渉が合意に達したあとは、契約内容を企業の法務担当が確認し、価格交渉は完了となります。自動価格交渉システム導入の例として、68％のサプライヤーと取引を成立させ、平均3％のコスト削減を実現したウォルマートの事例があります。

ビジネスメリット

①交渉コストの低減：同時に数千件の価格交渉が可能。交渉の進捗はダッシュボードで一元管理できる

②交渉品質の向上：調達担当者は交渉シナリオ作成に注力できるため交渉の品質が上がり、交渉の標準化、企業ガバナンスの強化を実現。サプライヤーにとっても時間をかけた交渉が可能となり、合意達成の確率アップにつながる

③サプライヤーとWin-Winの関係に：取引条件のアルゴリズム化が進むことで、管理されないサプライヤーや支出が少なくなる。結果として調達戦略の高度化やサプライヤーとの戦略関係の構築、継続的な改善に注力できる

5.4 ソフトウェア開発

開発プロセスを高速化する
生成AIによるコーディング

開発工数の低減とコード品質の向上を実現し、サービス開発の高速化を
実現

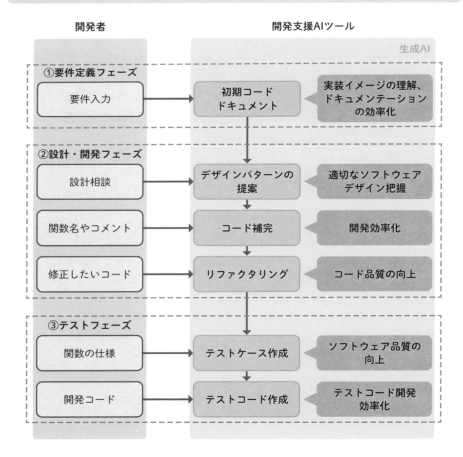

開発者　　　　　　　　　　　　　開発支援AIツール

生成AI

①要件定義フェーズ
要件入力 → 初期コード
ドキュメント ← 実装イメージの理解、
ドキュメンテーション
の効率化

②設計・開発フェーズ
設計相談 → デザインパターンの
提案 ← 適切なソフトウェア
デザイン把握
関数名やコメント → コード補完 ← 開発効率化
修正したいコード → リファクタリング ← コード品質の向上

③テストフェーズ
関数の仕様 → テストケース作成 ← ソフトウェア品質の
向上
開発コード → テストコード作成 ← テストコード開発
効率化

概要・特徴

　企業は社会の変化に迅速に対応し、市場のニーズに合わせた新しいサービスや製品を提供する必要があります。この背景において、ソフトウェア開発は重要な役割を果たします。GitHub CopilotやCursorのような開発支援AIツールは、**開発者を支援し、ソフトウェア開発プロセスを効率化することで、高品質なコードの維持**とともに、製品をより速く市場に提供できるようにします。

　ソフトウェア開発プロセスには「要件定義」「設計・開発」「テスト」などのフェーズがあり、それぞれで開発支援AIツールが大きな価値を提供します。

　まず要件定義フェーズでは、AIツールにより機能要件をもとに**初期コードを自動生成**し、開発者はより具体的な実装イメージを得ることができます。人手での作業に比べ、時間と労力を大幅に節約しつつ、要件に即した初期コードを作成できます。

　続く設計・開発フェーズでは、AIツールにより適切なデザインパターン（これまでに蓄積された設計ノウハウ）を把握できる他、**関数名やコメントを入力するだけで実行可能なコードが生成される機能**を活用することもできます。これにより、設計と開発のフェーズでは、人手による開発に比べて品質の高いコードをより速く開発できます。

　最後のテストフェーズでは、AIツールの活用により関数の仕様や開発したコードをもとに、**テストケースやテストコードを効率的に作成**できます。これにより、テストの質と速度が向上し、全体的な開発プロセスが加速します。

ビジネスメリット

①**開発サイクルを効率化**：テスト駆動開発を含む開発サイクルのスピードが大幅にアップ。開発者の負担軽減につながり、高品質な製品の迅速な市場投入を実現

②**コード品質の向上**：最新のベストプラクティスに基づく自動コード提案により保守性と可読性が向上

③**顧客満足度の向上**：開発プロセスの高速化と品質向上により顧客満足度がアップ。新規顧客獲得と事業成長を促進

5.5 データ分析

営業・マーケティング支援

戦略的意思決定を支援する
生成AIによる口コミ分析

顧客フィードバックの詳細分析でビジネス洞察を提供し、製品改善と市場競争力の強化に貢献

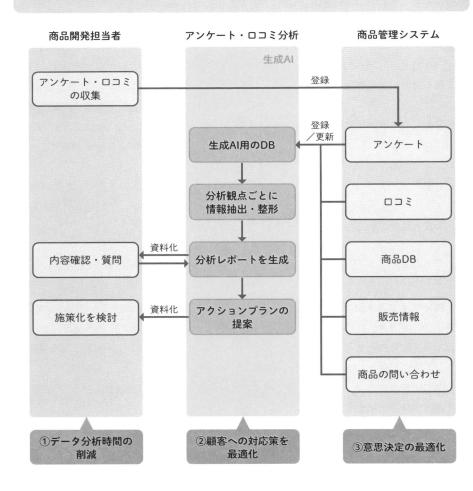

概要・特徴

　生成AIを活用したアンケート・口コミ分析ツールは、顧客のフィードバックを詳細に分析し、ビジネスに有益な洞察を提供します。このツールは、自然言語処理技術に基づき、アンケートや口コミなどの顧客からのテキストデータを精密に分析します。それにより、重要な意見やトレンドを抽出し、文脈の理解や意図の把握を通じて、キーワードや感情の傾向を明らかにします。とくに、**感情分析により、フィードバックが肯定的か否定的かを迅速に識別し、顧客の具体的な要望や提案を自動的に分類**します。非直接的な表現の解釈や、皮肉や比喩などの複雑な言語表現を理解できることも、生成AIの強みの1つです。また、生成AIの**多言語の理解と言語翻訳能力により、日本語以外のアンケートや口コミ分析も容易に実現可能**となります。

　これらの機能を通じて、ビジネスの改善点や新しい機会を明確にし、企業は顧客の期待に応えるためのアクションプランを容易に立案できます。

　さらに、生成AIのデータ可視化能力を活用すれば、分析結果をもとにしたグラフも自動的に生成できます。この能力により、マーケティング領域のスキルや経験が豊富でない社員でも、顧客満足度の分析や製品・サービスの改善を効率的に進めることが可能となります。

ビジネスメリット

①**データ分析コストを大きく低減**：リアルタイム分析は手作業によるデータ分析の時間を大幅に削減する他、マーケティング領域のスキルや経験がなくても顧客分析を可能に

②**ニーズを的確に把握**：顧客の感情分析を通じたフィードバックを識別することで真のニーズを理解し、最適な対応が可能

③**戦略的な意思決定を支援**：生成AIによるトレンド分析は市場の動向を追跡し、戦略的な意思決定を支援。②であげた顧客フィードバックの迅速な分析により素早い製品やサービスの改善につながる

5.5 データ分析

営業・マーケティング支援

マーケティング施策とSNS運用を包括的に支援する生成AI

生成AIからSNS運用を学び、全体設計を実施。加えて、効果的な運用や困りごとへのアドバイスさえも受けることが可能に

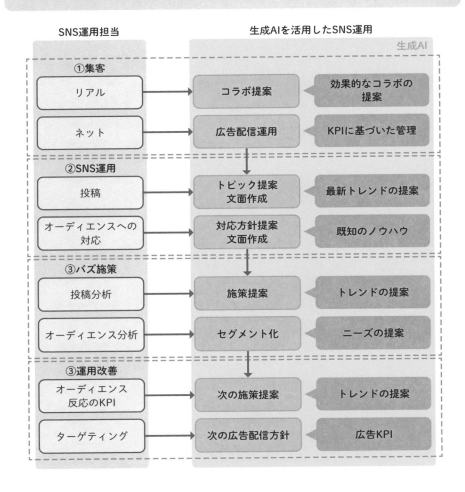

概要・特徴

　インターネットの普及と共に消費者を中心としたものに移行してきたマーケティング施策において、インフルエンサーの存在が大きくなりつつあります。SNSで大きな影響力・発信力を持つインフルエンサーに取り上げられると、瞬く間に拡散し、小売であれば品切れを起こすことも珍しくありません。そのため、SNS運用ではそのノウハウを取り入れるニーズが高まっていますが、マーケティング担当者がそれらの情報を整理して分析するにはコストとスキルが必要です。

　そこで活用できるのがGPTなどのAIです。これらの**AIはSNSやブログなどの投稿文も学習**しているため、AIにインフルエンサーという役割を与えて投稿文を作成したり、架空のユーザーとのSNSでのコミュニケーションをシミュレートしたりできます。また、運用中のSNSの投稿履歴やフォロワー数の推移などをもとに、ユーザー層の分類やアクティブユーザーの抽出といった**レポートの作成、改善点の提案ができる他、クリエイティブへのフィードバックなどにも役立てられる**でしょう。

ビジネスメリット

①オーディエンス ターゲティング：誰に見せるのか、どう見せるのか、どうリーチするのかといった基本的な設計が容易に可能
②コンテンツ作成が容易：生成AIはオーディエンスにそった投稿内容を大量に生成することが容易。このなかから担当者が選択し、スケジューリングしながら投稿作業を行うことで、質と量の両立を目指すことが可能
③効果検証や分析：顧客の反応からの効果検証や分析といった一朝一夕には難しい作業を、生成AIに方法論や意見を求めることもできる

Point

　AIが解析したデータを集客方法の広告配信方法の検討へ戻すことで、経験の少ない一般社員でもWebサイト運用や広告運用のプロと同様のPDCAサイクルを回すことが可能になりました。

複雑なマーケティング施策を誰もが可能に！

5.5 データ分析

領域 人事・労務

適切で効率的な採用選考を実現する 生成AIを活用したアドバイスツール

候補者の公平評価、バイアス除去、迅速な適切な人材特定、および効率的な採用戦略の展開を実現

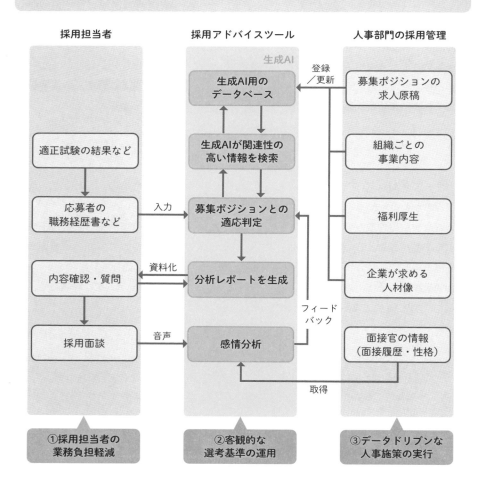

採用担当者 / 採用アドバイスツール / 人事部門の採用管理

生成AI

生成AI用の
データベース

登録／更新 ← 募集ポジションの
求人原稿

適正試験の結果など

生成AIが関連性の
高い情報を検索

組織ごとの
事業内容

応募者の
職務経歴書など → 入力 → 募集ポジションとの
適応判定

福利厚生

内容確認・質問 → 資料化 → 分析レポートを生成

企業が求める
人材像

採用面談 → 音声 → 感情分析

フィードバック

面接官の情報
（面接履歴・性格）

取得

①採用担当者の
業務負担軽減

②客観的な
選考基準の運用

③データドリブンな
人事施策の実行

概要・特徴

　生成AIを活用した採用アドバイスツールは、候補者のポテンシャルを公平に評価することを目指しています。**履歴書や職務経歴から職種関連のキーワードや能力を分析し、人間の偏見を排除して客観的な選考基準を提供**します。

　また、面接中の会話を音声認識技術で自動取得し、募集ポジションとの適応判定に利用します。さらに、会話履歴と音声データから感情分析を行い、応募者の性格や適正を深く理解し、総合的な評価を可能にします。候補者の多様なバックグラウンドや経験を考慮することで、多様な視点やスキルを持つ人材の発掘に貢献し、時間効率の良いプロセスを通じて、迅速に適切な候補者を特定します。

　このツールは求職者と募集ポジションとのマッチングレポートを生成し、**求職者と募集ポジションとのマッチ率も算出**します。仮にマッチ率が低い場合には、求職者のスキルや経験に基づいて、マッチ率が高い代替の募集ポジションを提案する機能も備えています。これにより、求職者は自身の能力やキャリア目標に最も適したポジションを見つけやすくなり、企業側も適切な人材を効率的に採用できるようになります。

ビジネスメリット

①担当者の負担軽減：履歴書の分析、面接した内容の自動取得から応募者の適性を自動的に判定

②多様な人材の発掘につながる：応募者のポテンシャルを公平に評価。また多様なバックグラウンドや経験を考慮した評価により、人材の発掘に貢献

③事業成長への貢献：データに基づく意思決定を通じて、より効率的で効果的な採用戦略の展開が可能となり、企業の競争力アップにつながる

> Point
>
> 　採用アドバイスツールには、152ページの求人原稿生成も含めてさまざまな生成AIサービスが生まれています。この領域における生成AIサービスの需要は大きく、今後の成長が期待されます。

 人材領域の生成AI活用はまだまだ可能性がある！

5.5 データ分析

金融・法務・事業運営

未来のリスクやビジネス機会を予測する財務分析AI

効率的な財務データ分析とレポート自動作成でリスク管理と意思決定をサポート

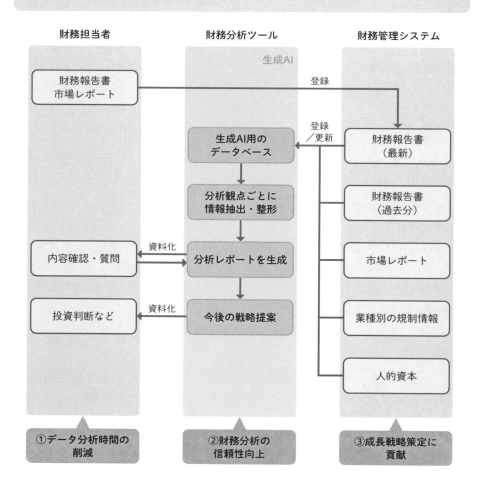

概要・特徴

　生成AIによる財務分析・レポート生成ツールは、企業の財務データを解析し、レポートを自動作成するための革新的なツールです。これは、企業の財務報告書や市場レポートからテキストと数値データを効率的に抽出し、重要な財務指標として整理します。**市場動向、たとえば原材料の仕入れ価格の変動などの分析も可能で、財務指標の計算、コスト分析、市場動向の評価**を迅速かつ正確に行えます。

　また、生成AIは複雑な財務データや専門的な報告書の内容を理解し、これをもとに経営戦略や投資判断に役立つ財務レポートを自動生成します。これにより、レポート作成にかかる時間と労力を大幅に削減できます。加えて、分析結果を視覚的に表現するグラフも自動で作成できるため、データの解釈と共有が容易になります。

　さらに、このツールは**過去のデータと現在の市場動向を組み合わせて分析し、未来のリスクや機会を予測する機能**も備えています。言語生成技術を用いて、これらの情報をわかりやすく伝えるレポートを作成できます。

ビジネスメリット

①レポート作成時間を大幅に短縮：企業の財務報告書や市場レポートからテキストと数値データを自動的に抽出、整理することで時間を要する作業を大幅に効率化
②信頼性の高い情報が得られる：正確なデータ抽出と分析により、データの誤りにより発生するリスクを低減し、より信頼性の高い情報に基づいた意思決定が可能に。また分析結果の視覚化も自動で行えることからデータの解釈が容易に
③賢明な意思決定を可能に：生成AIにより提供される経営戦略や投資判断に役立つ洞察は、より賢明な意思決定を可能に。また、過去のデータと現在の市場動向から未来のリスクや機会を予測し、事業の成長戦略策定に貢献

> **Point**
>
> 　投資家にとっても、わかりやすい財務報告書は適切な判断材料となります。財務は企業の規模を問わず欠かせない業務であり、それを自動化・効率化できることは事業の強力な推進力になります。

 財務分析AIは事業の強い推進力になる！

5.6 ナレッジ活用

従業員の長期定着に貢献する
生成AIを活用した労務相談

迅速なアドバイス提供、個別のニーズ対応、人事部門の負担軽減、法的
リスク低減、および効率化による企業の競争力向上に寄与

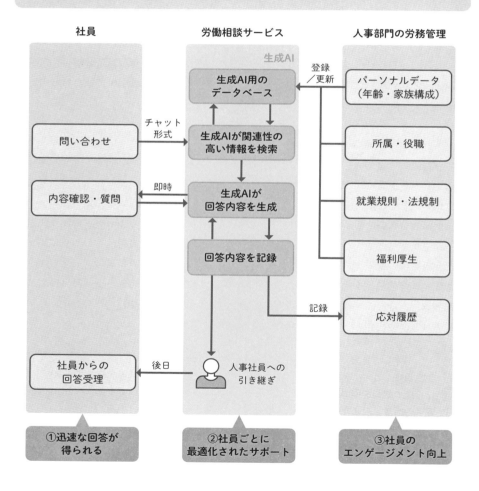

概要・特徴

　生成AIを利用した労務相談サービスは、企業において重要な役割を果たしています。この革新的なサービスは、複雑な労務問題への洞察とソリューションを提供し、企業の人事部門に新たな価値をもたらします。

　おもな利点は、労務相談へのアクセスの迅速化と待ち時間の削減です。**従業員はいつでも簡単に相談でき、生成AIが過去の事例や法律情報をもとにリアルタイムでアドバイス**を行います。たとえば、役職や勤務年数に基づいたキャリア開発の相談、家族構成を踏まえた福利厚生の最適化、育児や介護に関連する労働条件の相談など、**従業員の個人的な情報を考慮に入れたアドバイスを行えるのが特徴**です。

　また、人事部門の業務負担を軽減し、戦略的な業務に集中するサポートを行います。生成AIは組織内のトレンドや問題点を分析し、予防的措置の提案や労働法遵守のサポートを行います。個々の従業員のニーズに合わせたカスタマイズも可能で、ケースごとに適切なアドバイスを提供します。データのプライバシーとセキュリティは最優先で保護され、最先端の技術と人間の専門知識を組み合わせて、人事・労務管理を効率化します。

ビジネスメリット

①労務相談のハードルを下げる：生成AIによる労務相談は時間的・心理的ハードルを下げ、多くの従業員の支援につながる

②労働環境の向上：従業員個人個人のニーズに合わせたアドバイスが可能。また法律に基づいたアドバイスにより企業の労働基準法遵守を促し、労働環境が向上

③人材の定着化：パーソナライズされた労務相談は従業員の満足度を高め、優秀な人材の定着を促進。長期的に見ても人材育成と事業の安定成長が図れる

Point

　AIは、従業員の悩み解消や職場の質の向上に貢献します。また、AIが提供する適切なアドバイスで労働基準法遵守もサポートされていきます。

　AIにより労務サポート革命が起こる

5.6 ナレッジ活用

領域 金融・法務・事業運営

金融機関の業務を効率化する
金融特化型LLM

専門的な業務の効率化、標準化による業務品質の向上、意思決定の高度化や効率化を実現

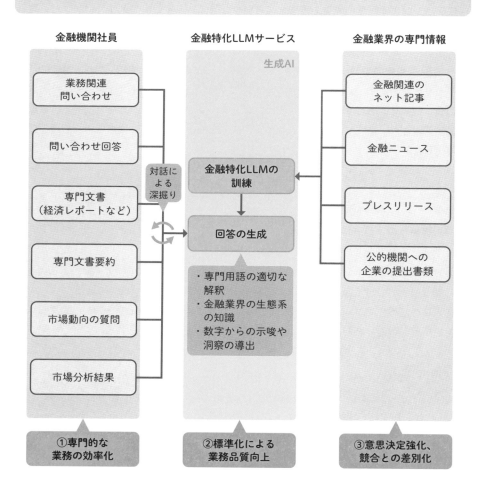

概要・特徴

　金融業界の業務は専門性が高く複雑です。たとえば、「LTV」という略語は「Loan to Value」を意味しており、一般的な「Life Time Value」とは異なる意味に解釈されます。また、数字の「1%」がビジネスに与える影響はその文脈により大きく異なります。さらに、企業の戦略や経営状況や、企業同士の関係性といった「生態系」を理解することも必要です。これら特有の状況に対応するため、金融業界に特化した「金融特化LLM」を提供するサービスがあります。

　これは**金融関連のネット記事、ニュース、プレスリリースや企業の提出書類などのデータを学習したLLM**であり、金融機関のさまざまな業務課題の解決をサポートします。たとえば、バックオフィスの社員が自身の業務について質問した場合、金融特化LLMは**専門用語の意味を取り違えることなく、適切な回答を生成**します。また金融特化LLMは、決算書類や経済レポートなどの専門的な文章から**汎用LLMよりもはるかにニュアンスに富んだ要約を作成**することができ、ビジネス上の示唆や戦略的な洞察の導出をサポートします。

　さらに、金融特化LLMを利用すれば、株式市場分析を行い、人間の投資判断をサポートすることもできます。たとえば、**「生態系」の情報や適切な数字の解釈に基づいて株式市場のセンチメントを包括的に判断**したり、**企業の株価の動向を予測して、根拠と共にユーザーに提示**したりできます。

　上に述べたすべてのプロセスにおいて、ユーザーは**「金融特化LLM」との対話で論点を深掘りして、従来よりも容易に自身の課題解決に資するインサイトに辿りつく**ことができます。

ビジネスメリット

①**生産性の向上**：汎用LLMでは難しかった業務領域の自動化や生産性の向上を実現
②**業務の標準化**：専門的な金融文書からのビジネス上の示唆や戦略的洞察の導出が自動化。業務の標準化が促進され、全社的な業務品質の向上に
③**競合との差別化**：実務における意思決定の効率化・高度化により、競合との差別化につながる価値のある知見の創出や共有が容易に

5.7 クリエイティブ制作

領域 営業・マーケティング支援

広告予算運用を最適化する
広告クリエイティブ生成AI

広告制作コストの低減と広告クリエイティブの品質向上を実現し、広告主の戦略的な広告予算運用を可能に

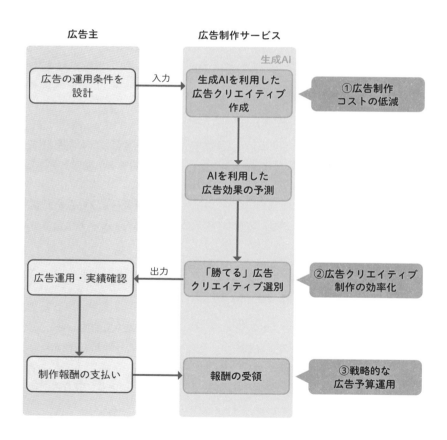

概要・特徴

　インターネット上でユーザーが入力した検索ワードに基づいて表示される検索連動型広告では、広告効果の維持・向上のために多種多様な広告クリエイティブを継続的に制作する必要があります。しかし、人間が大量のアイデアを生み出し続けることには限界があり、また、作成した広告クリエイティブが必ずしも既存のクリエイティブを上回る広告効果を発揮するとは限らないという課題があります。

　生成AIを利用することで、人間を圧倒的に上回る質と量の広告クリエイティブが作成可能となります。たとえば、文章生成AIで**数億を超える検索ワードに対応する広告テキストをごく短時間で生成**したり、画像生成AIを使用して**商品画像を取り込んだ大量の広告素材用の画像を生成**したりすることが行われています。また、特別に訓練したAIで**広告クリエイティブの広告効果を予測し、高い効果の期待できるものを選別**することも可能です。配信しているなかで最も効果が出ている既存のクリエイティブと、新規のクリエイティブの効果予測値を競わせ、勝った方を採用するといったことが実現できます。人間が制作したクリエイティブでは、勝つまで何度も競わせるのは現実的ではありません。

　このように低コストで広告効果の高いクリエイティブを作成できることから、成功報酬型の広告制作ビジネスも行われています。広告主は広告効果が確認できた場合のみ、広告クリエイティブ制作の報酬を支払うため、**「勝てない」広告クリエイティブの作成にコストをかけるリスクがなく**、効率的に広告予算を運用できます。

ビジネスメリット

①広告クリエイティブ費用の低減：大量かつ高品質の広告クリエイティブを継続的に作成可能。広告クリエイティブにかける予算を低減
②効率的な広告制作：広告効果予測AIにより、既存の広告を上回る効果が予測されたもののみ採用可能に。つねに勝てる可能性が高い広告クリエイティブを運用できる
③戦略的な広告予算配分：成功報酬型ビジネスの採用により、広告主は勝てない広告クリエイティブにコストをかけるリスクがなく、戦略的な広告予算を運用できる

領域 営業・マーケティング支援

商品の魅力を法規制の範囲で
最大限訴求する商品説明文生成AI

魅力的な内容を法規制に準拠しながら生成し、オンライン販売を促進

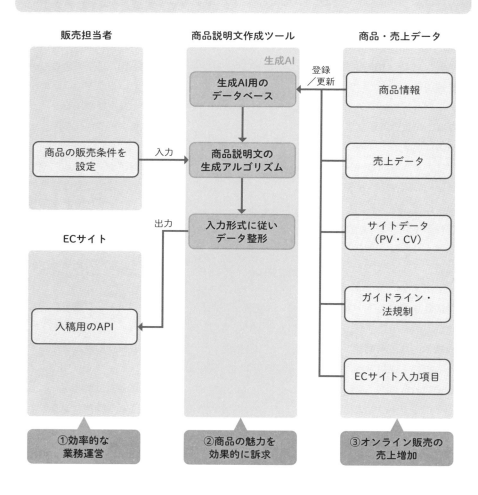

概要・特徴

　生成AIを活用した商品説明文作成ツールは、オンライン販売を促進するための先進的なツールです。このツールでは**商品の特性、利点、使用方法を詳細に分析し、消費者に理解しやすい、魅力的なテキストを生成**します。機械学習アルゴリズムを用いて売上増加につながる表現方法を学習し、自然言語生成技術で魅力ある説明文を生成する点が特徴です。

　このツールは、**商品販売にかかわるガイドラインや法規制にも対応**しています。これにより、特定の業界や地域で要求される法的要件や規制基準を満たす商品説明文の生成を実現しています。このことはリスクの管理と法的遵守を保証するうえで非常に重要であり、企業が法的な問題に巻き込まれるリスクを最小限に抑えます。また、マーケティング担当者は、**SEOにも最適化された商品説明文**を迅速に公開でき、検索エンジンの可視性を高め、潜在顧客へのリーチを拡大します。この技術により、法的ガイドラインや規制の枠組み内で、商品の魅力を効果的に伝え、顧客の購買意欲を刺激するといった販売活動が可能となります。

　法規制は時代とともに変化するため、つねにキャッチアップし続けるのは大変ですが、いち早く対応することでビジネスチャンスにもつながります。

ビジネスメリット

①タイムパフォーマンスの向上：大量の商品データを短時間で処理し、魅力的な商品説明文を自動生成することで、人による作業を大幅に削減。より戦略的な業務やクリエイティブなタスクに注力できる

②ブランドイメージの強化：市場や顧客ニーズに応じてカスタマイズ可能な商品説明文を生成できるため、商品の魅力を効果的に伝えることが可能。顧客満足度が向上しブランドイメージの強化に寄与

③コンバージョン率アップ：最適化された商品説明文は検索エンジンのランキングで有利に。より多くの潜在顧客にリーチし、Webサイトのトラフィック増加、コンバージョン率の増加に直結

5.7 クリエイティブ制作

作詞作曲、演奏プロセスを自動化する生成AIによる音楽制作

生成AIは音楽制作に革命をもたらし、ボーカルクローン生成からコンセプト開発まで、新たな音楽スタイルを提供

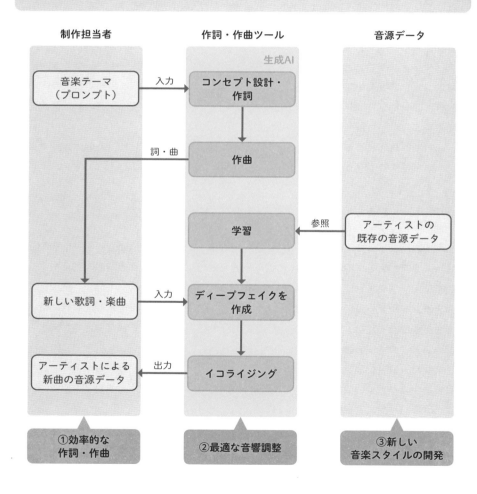

概要・特徴

　AI技術は音楽制作の全域にわたって大きな革命をもたらしています。かつては考えられなかった方法で、音楽の創作過程が変革されているのです。具体的には、**ボーカルのディープフェイク生成、作曲と録音の自動化、ミキシングやマスタリングのプロセスの改善、楽曲のコンセプト開発、そして他のユーザーとのクリエイティブな共創**まで、AIの活用が見られます。

　音楽制作において、AIはアーティストの声をクローン化し、その声で新曲を生成する技術を持っています（ディープフェイク生成）。さらに、AIは特定の音色に合わせてイコライジングを自動で行うことで、リアルな音楽制作を実現します。

　AIは作曲のプロセスにおいても重要な役割を果たします。**音楽の基本要素であるスケール、コード、メロディに関して、AIはこれまでの音楽データから最適なコード進行を選出**し、メロディに適度な変動を加えることができます。これにより、AIは単調さを避け、聴き手に感動や感情を伝える曲を作り出すことが可能となります。

ビジネスメリット

①**コスト削減**：作曲、録音、ミキシング、マスタリングといったプロセスが自動化され、時間とコストの大幅な削減が見込める

②**新しい価値の創出**：無限に近い音楽スタイルやボーカルパターンなどを学習し、そこから新しい音楽を創出。独自性と高品質が要求される業界で競争力を維持できる可能性がある

③**新しい市場の開拓**：新しい音楽スタイルの開発や独自の音楽コンテンツの提供は、音楽ファンの関心を引きつけ、新たな市場開拓につながる。また、音楽ファン以外にも訴求できる新しいジャンル創出といった可能性もある

Point

　　人間とAIが共同で創作活動に取り組むことで、これまでにない音楽体験を提供し、音楽制作の新たな次元を開拓しています。

 AIと人間の共作で新たな音楽体験を提供

領域 営業・マーケティング支援

スキルがなくてもWebページ制作運用を可能にするAI

非エンジニアでもホームページ作成・運用や効果検証のPDCAを回すことが可能に

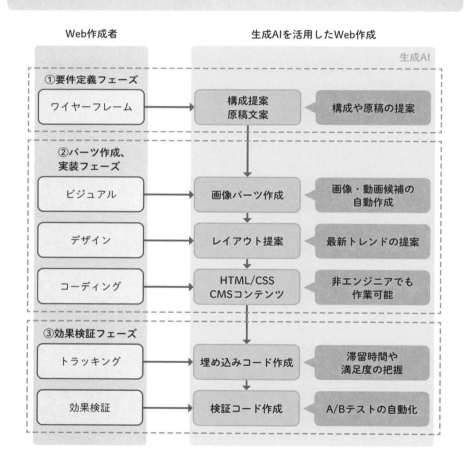

概要・特徴

　Webページ作成は、非常に多くのプロセスを経て行います。まず全体の構造（ワイヤーフレーム）を決め、そこに載せる画像などのコンテンツを考える。それからデザインを考え、HTMLやCSSなどでソースコードを書き、形にする。さらにサーバーにアップロードしてインターネット上に公開し、効果検証を行う、などが一般的なプロセスです。そこにはデザインやコーディング、マーケティング、アナリティクスなどのスキルが必要であり、通常はそれらのスキルを持った人材が対応します。

　それらのプロセス全体において、人間が行っていた作業は生成AIに置き換え可能です。**ペルソナの設定、Webページの構成や必要な原稿、画像の生成はもちろん、デザインの提案からそれをソースコードに落とし込むところまで自動化できます。**さらにCMS（Contents Management System：コンテンツ管理システム）化まで自動で行えるため、**公開後のPDCAまで見通したサイト設計が生成AIだけで実現可能**です。Webページは公開して終わりではありません。むしろ公開後にいかに運用するかが重要です。生成AIを活用すれば、**SEO対策やアクセス解析も行えるため、適切なタイミングで適切な施策を打つなど、持続的なWebページ運用が可能**になります。

　これだけのプロセスが必要なWeb制作運用業務を、特別なスキルを持たない人でも行えるようになることは大きなインパクトです。さらにいえば、通常Web制作会社に依頼した場合にかかるコストを削減できるのに加え、保守運用にかかるコストも大きく減らせます。浮いた時間とコストで、より本質的な価値創出や大切な顧客への対応といった重要な業務に注力できるようになります。

ビジネスメリット

①最先端のトレンドを取り入れたWebページ：生成されるソースコードやデザインは先端のベストプラクティスをもとにしており、トレンドに即したものになる可能性が高い

②迅速なPDCAサイクル：自社内で効果測定やWebページ修正が可能になり、素早くPDCAサイクルを回せる

③ブランドガイドラインへの準拠：コード生成時にブランドガイドラインの要件を入れることで手間なく準拠可能

5.8 教育・育成

人材育成プロセスを革新する
生成AIを活用したeラーニング

自動採点、個別フィードバック、対話型トレーニングを提供し、学習者の
スキル向上とトレーニング効率化を促進

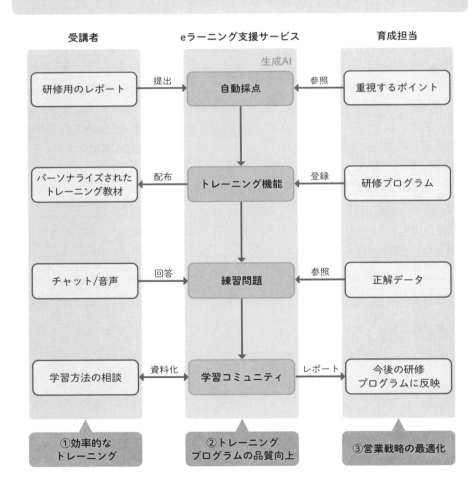

概要・特徴

　生成AIを活用したeラーニング支援サービスは、学習者のスキル向上を促進するシステムです。このシステムは、**提出されたレポートへの自動採点機能に加え、AIが学習者の理解度や知識の習得を評価するためのコメントを自動生成する機能**を備えています。これにより、評価作業の効率化と担当者の業務負担の軽減を実現し、迅速かつ具体的なフィードバックを提供します。

　また、このシステムは利用者の学習を支援するために、**AIを用いた仮想インタラクションのトレーニング機能**も提供しています。利用者はAIとの対話を通じて、コミュニケーション能力や問題解決能力などの重要なスキルを磨くことができます。このトレーニングはチャット形式で提供され、音声形式での対話も可能です。

　さらに、**練習問題の自動生成、学習コミュニティの活性化、テスト結果に対するフィードバックなど、さまざまな生成AIを活用した機能**も備えています。これらの機能は、学習者の参加と学習意欲を高め、教育の質を向上させます。このように、生成AIを活用したeラーニング支援機能は、学習効率化と業務効率化に貢献し、企業や教育機関における人材育成プロセスの革新を促進します。

　社員のスキル向上は、競争力や持続力など「会社全体のスキルアップ」に直結します。AIによる人材育成は、他のページで取り上げたツールと組み合わせても相乗効果が得られるでしょう。

ビジネスメリット

①学習プロセスを加速：AIにより自動化されたフィードバックと、トレーニングによる人的リソースへの依存を減らしながら学習プロセスを加速。従来のトレーニングに比べ時間とコストを削減

②トレーニングの質の向上：多様なトレーニング教材は学習者が新しいスキルや知識を幅広く学ぶことを可能に。結果として、トレーニングの質が向上し好循環が生まれる

③リーダーシップの確立：効率的で高品質なトレーニングによる社員のスキル向上は、顧客満足度の向上、新規ビジネスチャンスの創出、市場でのリーダーシップ確立につながる

5.9 顧客対応

営業・マーケティング支援

営業ノウハウの蓄積につながる 生成AIによる開拓レター

顧客特性分析に基づいたカスタマイズレターで営業効率を向上させ、売上増加と市場対応の迅速化に寄与

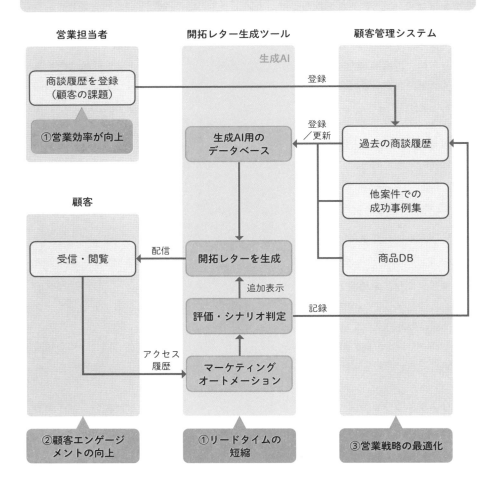

営業担当者 / 開拓レター生成ツール / 顧客管理システム

生成AI

商談履歴を登録（顧客の課題） → 登録

①営業効率が向上

生成AI用のデータベース ← 登録／更新 → 過去の商談履歴

顧客

受信・閲覧 ← 配信 ← 開拓レターを生成 ← 他案件での成功事例集

商品DB

評価・シナリオ判定 → 記録

追加表示

アクセス履歴 ← マーケティングオートメーション

②顧客エンゲージメントの向上

①リードタイムの短縮

③営業戦略の最適化

概要・特徴

　生成AIを使った開拓レターの生成ツールは、ビジネスコミュニケーション分野に大きな革新をもたらしています。このツールは、**顧客の特性と過去の対応履歴を分析し、カスタマイズされたレターを作成**します。このプロセスでは、生成AIの言語理解能力が顧客データの意味と文脈を深く把握し、言語生成能力を用いて個別のニーズに合わせたメッセージを効果的に生成します。これにより、従来のテンプレートベースの手法と比較して、よりパーソナライズされたコミュニケーションが可能になります。具体的には、生成AIは自社の顧客DBや商品DBにアクセスし、その情報をもとに顧客ビジネスの課題に最適な商品を提案することが可能となります。

　また、過去の類似顧客の成功事例を分析し、それらを効果的に提案文書に組み込むことで、提案の説得力を高めます。これらの機能により、**新入社員の営業担当者でも、顧客のニーズを正確に理解し、それに基づいた効果的な営業アプローチ**を行うことが可能です。マーケティングオートメーションツールとの連携によって、これらのプロセスはさらに自動化され、効率的な営業活動を支援します。これにより、マーケティングチームはより効果的な意思決定を行うことが可能となり、全体的なマーケティングのROIを向上させることができます。

ビジネスメリット

①営業プロセスの完全自動化：営業担当者は顧客ごとにカスタマイズされたメッセージを迅速に作成し、営業プロセスを効率化できる。また、マーケティングオートメーションツールとの連携で営業プロセスを完全自動化

②顧客エンゲージメントの向上：高い品質の生成コンテンツは、顧客との関係強化に寄与。個別化されたコミュニケーションは顧客エンゲージメントを高め、リードの獲得から成約までを効率化

③営業ノウハウの蓄積と共有：生成AIによる顧客の反応や傾向の分析を通じて効果的な営業戦略を策定可能。市場の変化に迅速に対応し、競争優位の維持につながる。また、時間とともに学習機能が向上するため、蓄積された営業ノウハウを共有できる

5.9 顧客対応

領域 営業・マーケティング支援

顧客ニーズの探索を効率化する 生成AIによるウェビナー運営

テーマ選定からアフターフォローまでを自動化し、運営効率化と顧客エンゲージメントを向上

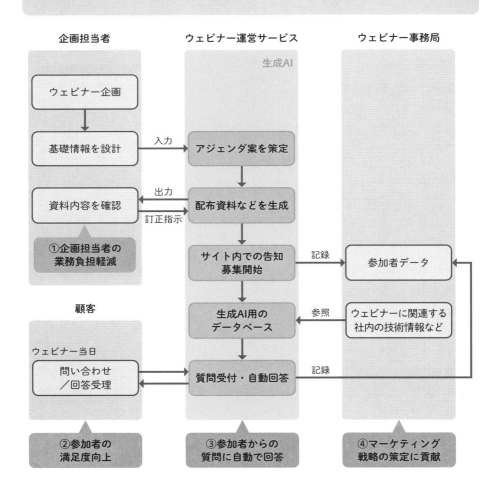

概要・特徴

　生成AIを活用したウェビナー運営サービスは、ウェビナーの企画から運営、アフターフォローにいたるまでをサポートする総合的なソリューションです。**ウェビナーのスケジューリング、資料作成、参加者フォローアップなど、従来は手作業で行われていた作業を自動化**し、効率化を図っています。最大の特長は、生成AIによる言語理解と言語生成能力を通じてウェビナー運営の効率を大幅に向上させる点です。

　生成AIの使用により、**参加者に適したコンテンツの提案やリアルタイムでの質問応答が可能**になり、参加者のエンゲージメントが高まります。とくに、リアルタイム質疑応答においては、あらかじめウェビナーに関する情報を生成AIに学習させることで、高度な質問に対しても適切に回答する能力があります。これにより、参加者は瞬時により深い知識を得ることができ、ウェビナーの価値が高まることが期待されます。さらに、ウェビナー終了後のデータ分析に生成AIを活用し、**次回の企画の改善点の特定や、効果的なマーケティング戦略の立案にも貢献**します。

　コロナ禍以降、ウェビナーは一般的になり、需要が増えました。それに伴った運営コストの増加や情報セキュリティの確保が課題となっていますが、このようなAIを活用したサービスは、ウェビナーの開催実績が豊富な事業者はもちろんのこと、これからはじめたい企業にとっても企業価値を高める有効な手段となるでしょう。

ビジネスメリット

①コスト削減：ウェビナーのスケジューリング、資料作成、参加者フォローアップなど従来手作業だった作業が自動化され、人的リソースの削減、時間の節約につながる
②ウェビナーの内容と対話の質の向上：生成AIによるリアルタイム対話や質問応答機能は参加者への適切なコンテンツ提供や質問への瞬時の回答を可能に。ウェビナーの内容だけでなく対話の質も向上
③顧客ニーズの把握：ウェビナー後のデータ分析を生成AIが行うことで、顧客ニーズの把握が容易に。次回以降のマーケティング施策の展開において、より精度の高いアプローチが可能

5.9 顧客対応

長期的な顧客基盤を拡大する生成AIによる予約管理システム

先進AIを用いた予約受付システムは、自動化と顧客データ分析で労働コスト削減と顧客満足度向上を実現

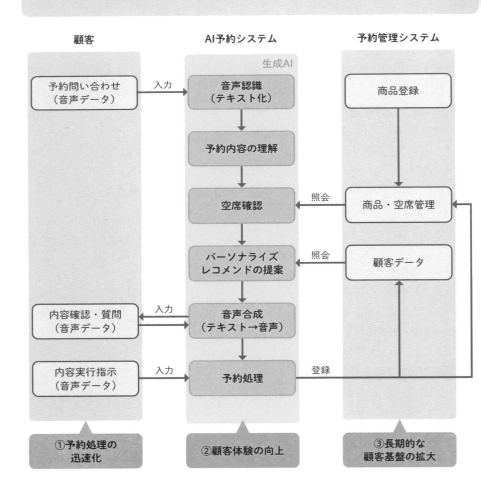

概要・特徴

　このシステムは、最先端のAI技術を用いた革新的な予約受付システムです。従来の半自動システムが固定的なメッセージに依存していたのに対し、**音声認識技術と高度な言語理解、そして文書生成能力を持つ生成AIを活用**しています。これにより、生成AIは顧客の発話内容を正確に理解し、適切な形で自然な応答を生成可能です。その結果、顧客との自然な会話を通じた効率的な予約処理が実現します。

　また、感情分析機能の統合により、顧客の声のトーンや文脈を分析し、その情報をもとに顧客の感情状態を推定します。この洞察は、顧客の満足度を自動的に計測し、より個別化されたカスタマーサポートへとつながります。さらに、先進的な音声合成技術を用いて、生成AIは自然なイントネーションを持つカスタマイズ可能な音声を生成し、多言語対応機能により、さまざまな言語の顧客にも対応できます。

　もう1つの特徴は、顧客データの分析と学習能力にあります。**生成AIは過去の予約データや顧客の好みを分析し、それに基づいて予約傾向を学習**することで、顧客に合わせたパーソナライズサービスを提供できます。

ビジネスメリット

①業務フローの効率化：生成AIによる迅速な顧客対応と予約処理により、業務フローが効率化。人間のオペレーターが不要となり常時稼働を実現し、機会損失を防ぐ

②顧客満足度の向上：感情分析機能と自然な会話により、顧客との良好なコミュニケーションを実現。顧客のニーズに合わせてパーソナライズされたサービス提供により顧客満足度が向上

③顧客基盤の拡大：優れた顧客体験はリピーターの増加につながり、長期的な顧客基盤の拡大に寄与

> Point
>
> 　ホテル、飲食店において、顧客が音声アシスタントと会話することで、予約や変更、キャンセルが行えるようになってきています。

 宿泊業や飲食業での導入が期待されている！

5.9 顧客対応

顧客体験と生産性の向上を実現する AIヘルプデスク

生成AIを活用したAIヘルプデスクは、効率化と顧客体験の向上を実現し、ビジネスにおける生産性向上とコスト削減に貢献

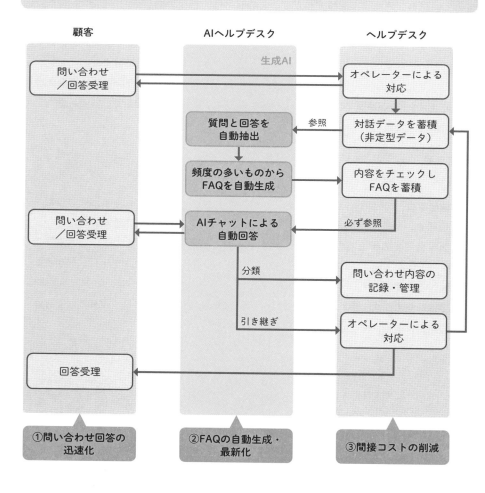

概要・特徴

　生成AIを活用したAIヘルプデスクは、ビジネスプロセスの効率化と顧客体験の向上を目指す革新的なソリューションです。**FAQの自動生成、自然言語処理を用いた自動回答機能、人間のオペレーターとのシームレスな連携、そして問い合わせ管理機能**を通じて、組織のニーズに応じて最大限の効果を発揮します。

　このシステムは、オペレーターによる過去の対話データを解析し、質問と回答を抽出してFAQを作成することで、つねに最新の情報を反映するようにします。これにより、ユーザーにとって役立つリソースが生み出されます。また、生成AIが顧客からの問い合わせを理解し、適切な回答を提供する自動回答機能は、多様な表現や言い回しにも柔軟に対応し、より正確な情報提供を可能とします。

　さらに、AIヘルプデスクは複雑な問題や特別な対応が必要な場面で、**必要に応じて問い合わせを人間のオペレーターにスムーズに引き継ぎ、効率的に対応できるように設計**されています。問い合わせ管理機能では、社内システムと連携し、問い合わせの受付から対応までのプロセスを一元管理することで、顧客サービスの迅速化と品質向上が実現され、顧客満足度の向上に貢献します。

　AIヘルプデスクは、ChatGPTなどの活用事例としてもよく取り上げられるのでイメージしやすいでしょう。82ページで説明したRAGを用いることで組み込みやすいサービスですが、必要に応じて人間のオペレーターに引き継ぐといった細部のチューニングが、こういったサービスを差別化するポイントとなります。

ビジネスメリット

①生産性の向上：顧客の一般的な問い合わせに対して時間帯を問わず即座に回答できるため、重要な業務に集中する時間が増え、生産性が向上する

②顧客満足度の向上：過去の対話データを解析し、FAQがつねに最新の情報を反映することで顧客にとってより役立つリソースの提供が可能に

③間接コストの削減：迅速な問題解決により間接的なコスト削減に。またAIヘルプデスクの柔軟な拡張性は企業の成長や市場の変化に合わせられるため、長期的なビジネス成長に寄与

5.9 顧客対応

企業の信頼性アップにつながる
クレームメールの自動判定AI

迅速な顧客対応と業務効率化を実現し、企業の顧客満足度と信頼性向上に貢献

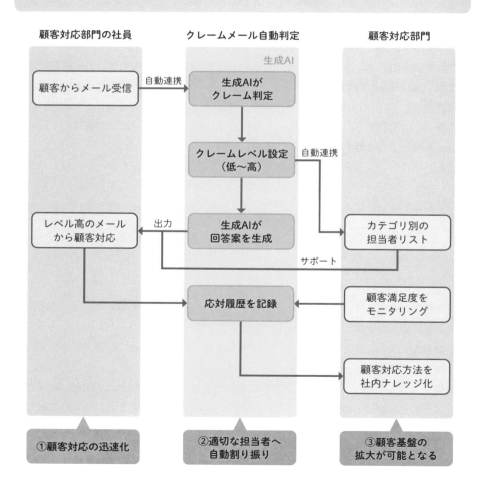

顧客対応部門の社員　　クレームメール自動判定　　顧客対応部門

顧客からメール受信　→　自動連携　→　生成AIがクレーム判定

クレームレベル設定（低〜高）

レベル高のメールから顧客対応　←　出力　←　生成AIが回答案を生成　→　自動連携　→　カテゴリ別の担当者リスト

サポート

応対履歴を記録　←　顧客満足度をモニタリング

顧客対応方法を社内ナレッジ化

①顧客対応の迅速化　　②適切な担当者へ自動割り振り　　③顧客基盤の拡大が可能となる

概要・特徴

　生成AIを利用したクレームメール自動判定機能は、企業の顧客対応部門において重要な役割を果たしています。この革新的な機能は、顧客からのフィードバックに対する迅速かつ効果的な対応を実現し、顧客満足度の向上と企業の信頼性の維持に貢献します。

　おもな利点は、**クレームメールへの即時対応の実現と対応時間の削減**です。担当者は、生成AIによる自動識別とアラートによりクレームメールを迅速に特定でき、対応の遅れを防ぎます。とくに、クレームの性質や緊急度に応じた優先対応が可能です。たとえば、カスタマーハラスメントを含む深刻なクレームには、即時かつ適切な担当者が割り当てられ、顧客対応の質を保ちます。さらに、顧客対応部門の業務負担を軽減し、効率的な業務運営をサポートします。

　生成AIは、**メールの内容や文調を分析し、クレームの傾向や頻度を把握することで、予防的なアクションの計画や顧客対応の最適化**を行います。カスタマイズオプションも提供され、企業独自の対応ポリシーや顧客基盤に合わせた設定が可能です。

　カスタマーハラスメントがたびたびニュースになる昨今、このようなサービスの需要は増加し、多様化していくでしょう。企業はもちろん、教育現場や行政においても活用機会が広がる可能性はあります。さらに、データのプライバシーとセキュリティは最先端の技術を活用して保護され、企業の競争力と信頼性を高めます。

ビジネスメリット

①迅速な対応が実現：クレームメールの自動判定により、より優先度が高い顧客に対して迅速な対応が可能に

②顧客対応を適切にサポート：生成AIの分析機能により、クレームの内容に応じて社内担当者へ自動的に連携。適切なサポートを受けながら顧客対応が可能に

③ブランドの信頼性向上：顧客の不満を最小限に抑え、ポジティブな顧客体験を提供。これによりリピート率向上や新規顧客獲得につながり、顧客基盤の拡大とブランドの信頼性向上を促進

Column

デ ー タ収集と管理プロセスを見直し、
AIとの最適な協業関係を築く

　AIによる業務プロセスの変革と効率化を進めるためには、適切なデータへのアクセスとその活用が鍵となります。業務プロセスのナレッジや専門職の知識を言語化、数値化してAIに学習させることで、企業や組織はこれまでにないスピードで成長し、イノベーションを達成することが可能になります。この過程では、豊富なデータソースから収集された情報をもとに、AIがより精密で複雑なタスクを遂行できるようになることが期待されます。

　日本の成長力を維持し、さらには加速させるためには、**企業や組織が持つビジネスプロセスの知識や専門家の経験をAIに伝え、その力を最大限に活用することが不可欠**です。このことは、従来の方法では解決が難しかった問題に対する新たなアプローチを提供し、労働市場におけるニーズの変化にも迅速に対応できるようにします。また、AIの導入により、高度な専門知識を必要とする分野でも、知識の伝達や教育のプロセスが効率化され、より多くの人々が専門的なスキルを身につける機会を得られるようになるのです。

　このような変革を実現するためには、データの質とその解析能力が重要です。AIが学習するためのデータは、正確で最新の情報を反映したものである必要があります。そのため、**企業や組織はデータ収集と管理のプロセスを見直し、AIが最大限のパフォーマンスを発揮できるように支援する体制を整える必要**があります。

　私たちは、AIとの協働により、未来への一歩を踏み出す準備ができています。ビジネスプロセスの知識や専門職の経験をAIに転化し、それを活用することで、日本は持続可能な成長とイノベーションを実現し続けることができるのです。この変革の旅において、**データは私たちの羅針盤となり、AIはその知識を力に変えてくれる頼もしいパートナー**となるでしょう。（大塚）

生成AIによる新たな価値創出

第5章では生成AIを用いたビジネスプロセスの効率化について解説しました。第6章では、創薬やAIプロモーション、脳信号復元といった各サービス分野における事例を紹介します。生成AIが開く新しい価値創出の可能性を共有しましょう。

6.1 創薬パイプラインの構築

事業 BioNemo　運営 NVIDIA

生成 AI 技術を活用した創薬パイプライン構築支援プラットフォーム

新薬の開発プロセスを高速化。クラウドプラットフォームを利用して独自の創薬パイプラインを構築し、競争力を強化

図表6-1-1 Transformer に基づく言語翻訳とタンパク質立体構造の予測の類推

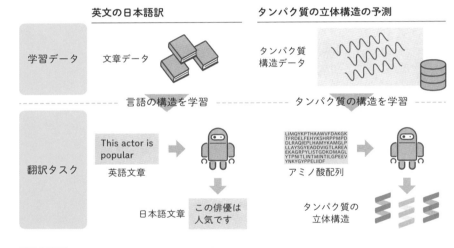

図表6-1-2 NVIDIA BioNemo のサービスイメージ

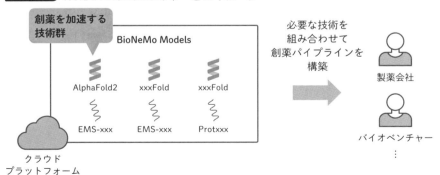

事例概要

　近年、生成 AI の関連技術を利用した新薬の開発プロセスの高速化が急速に進展しています。一見すると生成 AI の技術と新薬の開発はまったく関係ないように思われますが、これら 2 つがどのようにつながるか、2024 年のノーベル化学賞の候補となった技術である「AlphaFold2」を例に説明します。

　薬の役割は人の体内のタンパク質に作用して異常な反応を抑えることです。また、タンパク質の機能や性質はその立体構造から決まるため、タンパク質の立体構造を理解することは、特定のタンパク質に作用する新薬の開発において非常に重要となります。AlphaFold2 は**タンパク質のアミノ酸配列の情報から、そのタンパク質の立体構造を高速に予測**できます。52 ページで説明した Transformer のメカニズムが利用されています。そこでは Transformer を利用した英文の日本語への翻訳の例を示しましたが、AlphaFold2 はタンパク質のアミノ酸配列をそのタンパク質の立体構造へと翻訳する技術といえます。言語構造を学習した Transformer が英語を日本語に翻訳できるように、タンパク質の構造を学習した AlphaFold2 は、アミノ酸配列を立体構造に翻訳できるのです（図表 6-1-1）。

　この AlphaFold2 を含む複数の AI 技術を使えるクラウドプラットフォームが NVIDIA の「BioNemo」です。新薬の開発に携わる企業は、BioNemo 上で**必要な技術を組み合わせて自社に最適な創薬パイプラインを構築**できます。（図表 6-1-2）。BioNemo を利用して、前臨床候補薬を従来より 3 倍速く、1/200 のコストで特定できた事例も知られています。

ビジネスチャンス

　生成 AI 技術を利用することで、**新薬の開発に必要な期間とコストを大幅に削減**できます。AlphaFold2 などの技術は研究の現場ではすでに広く使われており、製薬企業にとってはこれらの技術を駆使して創薬のパイプライン全体を高速化することが競争力の源泉となります。また、AlphaFold2 のコードが商用利用可能なライセンスで公開されるなど、生成 AI を用いたタンパク質構造解析などの技術開発への参入障壁は低くなっています。技術力の高いスタートアップにとって、この分野は**新しい技術を開発して多額のライセンス収入を得るチャンスのある領域**だといえます。

6.2 AIプロモーション

プロモーションを変革する 生成AIが生み出すタレント＆モデル

生成AIを利用して生成されたモデルやタレントを活用して、競合と差別化されたユニークなプロモーションやブランディングを効率的に実現する

図表6-2-1 AIモデルやAIタレントの生成サービスのイメージ

商品の画像を撮影 ／ AIモデル着用画像を生成 ／ ECサイトなどでの利用

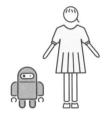

図表6-2-2 Stable Diffusionを使用した「追加学習」のイメージ

画像の特徴と文章の紐づきを学習 ／ 入力文で特徴を指定して画像生成

"ファー付きの
コート"

"ファー付きのコートを着た〇〇さん"

追加学習

画像生成

事例概要

AI modelが提供する「AI model」は、**生成AIを使用してファッションモデルやタレントを生成**するサービスです。商品だけの撮影から、AIモデルやAIタレントが商品を着用した画像を生成可能です。消費者はそのような画像を、自社ECサイトで販売するアパレル製品のコーディネート着用画像として使用したり、店頭での消費者とのインタラクティブなコミュニケーションに活用したりできます（図表6-2-1）。AI modelの実証検証では、このサービスの導入により、顧客のECサイトのクリック率が2倍以上向上することが示されています。

現実のモデルをキャスティングした撮影は高コストで時間がかかり、また他社とのモデル起用の重複により独自性が欠如するといった課題があります。その点、AIモデルは**低コストで撮影から合成、納品までを迅速に行える**というメリットがあります。また、顧客は専属AIモデルや専属AIタレントを独自に生成して、**競合と差別化されたブランディングやプロモーションを展開**できます。AIモデルであれば顔や肌、髪の色、体型などを自在に変え、顧客ブランドのためだけのオリジナルモデルを作成できるため、**ユニークなブランドイメージの構築に貢献**します。

ビジネスチャンス

画像生成AIが生成する画像の特徴（人物の服装など）を任意に変更できれば、さまざまなビジネスチャンスが生まれます。たとえばStable Diffusionで「追加学習」を行えば、画像の特徴を変更することは比較的容易です。追加学習とは文字通り、**新しい画像とそれに紐づく説明文を追加で学習させることで、その追加した要素を生成画像に反映する技術**です。有名な追加学習技術にLoRa（Low-Rank Adapter）と呼ばれるものがあり、画像生成AIコミュニティで広く普及しています。

たとえば、特定の服の画像を数十枚ほど追加学習し、「○○の服を着た〜」などと指示することで、その服を着たモデルを生成できます。逆に、架空のモデルの画像を追加学習させれば、そのモデルにさまざまな服を着せた画像も生成できます。

活用例として、個別にカスタマイズされた服飾デザイン提案や、ターゲットに合わせた広告コンテンツの生成などの他、不動産業界ではターゲットごとにリアルタイムで部屋の写真を改装して、物件の魅力をPRするといったことが考えられます。

6.3 脳信号の復元

事業 心に描いた風景を脳信号から復元　運営 量子科学技術研究開発機構

AI技術を利用して心に描いた
イメージを脳信号から復元

量子科学技術研究開発機構が、人の脳信号から線や色、質感、概念などの
視覚的な特徴を抽出し、心に描いたイメージを復元する技術を開発

図表6-3-1 脳信号から復元されたイメージの例

もとの画像　　　　　　　　目で見ている画像の復元　　　メンタルイメージの復元

出典：https://www.qst.go.jp/site/press/20221130.html

図表6-3-2 メンタルイメージの復元の概要

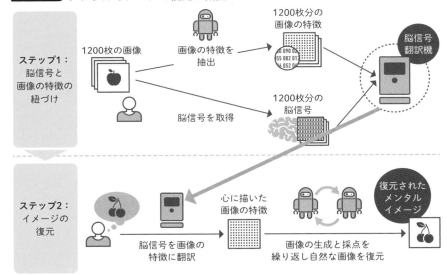

事例概要

　この技術は**人の脳信号から視覚的な情報を読み取り、AIを用いて画像を復元**するものです。これまでも、目で見た画像を脳信号から復元する研究にはいくつか成功例がありましたが、心に描いたイメージを復元することはより困難とされてきました。量子科学技術研究開発機構では先行研究で得られた知見をベースに、AIを活用することによって、より自然な画像が復元できる技術を開発しました。**画像に含まれる意味・概念的な特徴を抽出して復元に利用できる**ため、幾何学図形に加えて、ヒョウや飛行機といった多様なイメージの特徴を一定程度捉えた画像も復元可能です。（図表6-3-1）。

　脳信号の画像化には、2つのステップで深層学習に基づいたAIを活用します。1つめのステップはAIを利用した脳信号と画像の特徴の紐づけです。ここではまず、被験者に画像を見せながらfMRIという技術で脳信号を取得します。そして、その画像をAIに入力して画像の特徴を抽出します。この作業を1200枚の画像に対して行うことで、**さまざまな脳信号を画像の特徴の情報に翻訳する「脳信号翻訳機」を作成**します。次のステップはAIを利用したイメージの復元です。ここでは被験者が心のなかでイメージを描いた際の脳信号を「脳信号翻訳機」を用いて画像の特徴に変換し、さらにAIがその画像の特徴に基づいて画像を生成します。このAIの内部では、**画像の生成とその画像の採点を繰り返し、最終的により脳信号の特徴に近い画像が生成される**ように工夫されています（図表6-3-2）。

ビジネスチャンス

　心に描いたイメージを復元できることのメリットは計り知れません。クリエイターやアーティストの創造的な活動、エンタメや広告コンテンツ制作に変革をもたらす他、医療や犯罪捜査などさまざまな分野での活用が期待されます。

> Point
>
> 　医療領域では、患者の思考や感情を視覚化することで、話すことが難しい患者とのコミュニケーションを補助したり、不安やうつ病などの症状をより具体的に把握し、治療に役立てることが可能になるでしょう。

 医療分野では患者の意思表示やメンタルヘルスに貢献

6.4 リアルほんやくコンニャク

事業 Seamless 運営 Meta

最先端のAI技術を結集した
多言語コミュニケーションシステム

AI技術を結集した多言語のリアルタイムコミュニケーションシステムが、異なる言語の話者間でのスムーズかつ表情豊かな会話を支援

図表6-4-1 「Seamless」の構成図（概要）

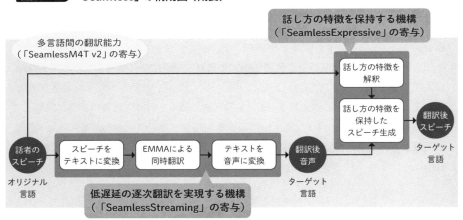

図表6-4-2 逐次翻訳での出力タイミングの見極めの概要（英独翻訳の例）

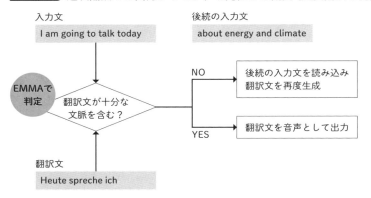

事例概要

　ドラえもんのひみつ道具「ほんやくコンニャク」は、食べると世界中の人々と母国語で会話できるようになる便利な道具です。現実の世界でも、多言語のリアルタイムコミュニケーションを実現する技術の開発が行われています。そのような技術の実現には、**「多数の言語間の翻訳」「話し方の特徴の保持」「低遅延の逐次翻訳」の３つが大きな課題**となります。

　Metaの「Seamless」は複数のAIモデルの複合体であり、いわば「ほんやくコンニャク」を実現する試みの最新の成果です（図表6-4-1）。Seamlessの基盤となるAIモデル「SeamlessM4T v2」は、**訓練に使える既存のデジタルデータの少ない言語を含む76の言語で訓練**されており、「多数の言語間の翻訳」を実現します。また、「SeamlessExpressive」は、翻訳前後の言語間の意味的な類似に加えて、**声の特徴やリズムなどの類似性を高めるように訓練**されたモデルであり、「話し方の特徴の保持」を実現します。「SeamlessStreaming」は52ページで説明したAttentionメカニズムを応用した「Efficient Monotonic Multi-head Attention（EMMA）」技術を利用して、「低遅延の逐次翻訳」を実現します。リアルタイムコミュニケーションでは話者の話が完全に終わるのを待つことはできず、かといって、話者が十分な情報を話し終わっていない状態で翻訳をしても結果は不十分なものとなります。SeamlessStreamingは**適切な翻訳のタイミングを見極めることで、話者の発話と翻訳後の音声出力の時間差を抑え**、高品質なリアルタイムコミュニケーションを実現します（図表6-4-2）。

ビジネスチャンス

　メタバースやオンラインゲームは、仮想世界での人々の交流や活動の場を提供します。このような環境では、世界中からさまざまな言語を話すユーザーが集まるため、言語の壁がコミュニケーションの大きな障害となります。多言語のリアルタイム翻訳技術は**仮想世界内でのスムーズな交流を可能にすることでユーザー体験の向上に寄与**するとともに、教育、ビジネスミーティング、社交イベントなど、多岐にわたる活動を支援します。

　多言語リアルタイム翻訳技術がもたらすビジネスチャンスは無限です。Seamlessの AIモデルやプログラムコード、学習データなどはインターネット上で公開されており、誰もが最先端の知見にアクセスして自社のビジネスアプリケーションに活用できます。

6.5 コミュニケーションの遍在化

事業 CLONEdev 運営 株式会社オルツ

本人に代わりコミュニケーションする
生成AIによる個人のデジタルクローン

個人の「ライフログ」によって個性化された生成AIを利用して時間や場所に制限されないコミュニケーションを実現し、企業のコミュニケーションを変革

図表6-5-1 デジタルクローンのメリット（総合デジタルファームD社の例）

事例概要

　オルツの「CLONEdev」は、個人の人格をデジタルで再現するシステムです。このシステムは、**個人のライフログデータ（メールやSNSの履歴、文章などを含むデータ）と生成AIの関連技術を組み合わせてその人の人間性を導き出し、一人ひとりの性格や考え方を反映したデジタルクローンを生成**します。執筆時点ではアルファ版として公開されて、同社CEOを含む3名のクローンをトライアルできます。

　実際のビジネスの場でのデジタルクローンの試用もされています。たとえば、総合デジタルファームD社のCEOのデジタルクローンが作成され、社員とのコミュニケーションに使用されました。社員は本人には質問しにくい内容でもクローンになら気軽に質問できるため、CEOのパーソナリティや思考、経営視点などについて理解を深められます。また、CEOが重要な会議や休暇などでその場にいない場合でも、社員はCEOとコミュニケーションできます。このように、デジタルクローンを利用すれば、企業は**CEOなどの時間節約と組織内コミュニケーションの質向上という両面でメリット**が得られます（図表6-5-1）。

ビジネスチャンス

　デジタルクローンはさまざまな分野で活用可能です。たとえば**有名人のデジタルクローンを作成して、実際には参加できないイベントに「出演」させることが可能**です。これにより、場所や時間に制限されず、より多くの視聴者に対してメッセージを伝えられるようになるでしょう。

　また、ゲームなどでは精緻なキャラクター設定を持ちながら自律的な行動や会話を行うノンプレイヤーキャラクターを作成することも考えられます。このようなノンプレイヤーキャラクターによって、ゲームのリアリティや没入感が向上し、より魅力的な世界観を実現できるはずです。

　他にも、パーソナライズされた学習体験を提供できる可能性があります。たとえば、有名講師のデジタルクローンを作成しオンライン授業で使用することで、生徒は好きな質問をいつでもデジタルクローンに訊くことができるようになります。こうすることで、自身に最適なペースで、また苦手な部分などを集中して学ぶことができます。

6.6 ブランドイメージの共創

事業 Create Real Magic　運営 コカ・コーラ

ブランドイメージをユーザーと共創する生成AIプラットフォーム

生成AIを活用してクリエイティブなアート作品を生み出す新時代のプラットフォーム。商標資産を活用して、企業とユーザーがブランドイメージを共創

図表6-6-1 「Create Real Magic」でのアート作品制作イメージ

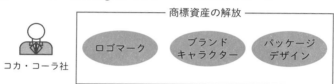

コカ・コーラ社

商標資産の解放

ロゴマーク　ブランドキャラクター　パッケージデザイン

生成AIを利用してアート作品を生成

ユーザー

図表6-6-2 ブラントイメージの共創のメリット

	ブランドイメージ共創のプロセス	企業のメリット
1	ユーザーがブランドイメージの創造に参加する	一方的なマーケティングでは難しい深いユーザーエンゲージメントを生み出す
2	ユーザーが企業の商標資産を用いて独自のアート作品を創造する	企業のインスピレーションの源泉となり、ブランドの鮮度や市場での競争力の維持に貢献する
3	企業が商標資産をユーザーに開放する	クリエイティブな表現の自由を促進する姿勢を社会に示すことができる

事例概要

　従来、商標は企業の財産であり、使用を制限することで自社製品やサービスを他社と差別化するという考え方が一般的でした。当然、ユーザーが商標を利用したブランドイメージの創造に参加する機会は限定的でした。

　OpenAIの生成AI技術を組み合わせてコカ・コーラが開発した「Create Real Magic」はこの常識を覆すプラットフォームです。同社のファンが**商標資産であるボトルやロゴ、サンタクロースやシロクマなどを使って、生成AIを利用したアート作品を制作**できます（図表6-6-1）。投稿のなかから選ばれた作品の作者は、ニューヨークやロンドンのコカ・コーラの屋外広告に自分の作品を掲載する権利や、コカ・コーラのライセンス商品やデジタルコレクタブルズなどのコンテンツ制作に貢献する機会を得ることができます。

　このようなユーザーとのブランドイメージの共創は、企業にさまざまなメリットをもたらします。ユーザーのブランドへの愛着心を高め、**従来の一方的なマーケティングでは難しい深いエンゲージメント**を生み出せます。また、ユーザーが企業の商標資産を用いて創出する独自の作品は企業にとって**新しいインスピレーションの源泉となり、ブランドの鮮度を保ち、市場での競争力の維持に貢献**します。さらに、商標資産をユーザーに開放し、**クリエイティブな表現の自由を促進する姿勢を社会に示すことで、企業のイメージアップ**につながります（図表6-6-2）。

ビジネスチャンス

　レストランやカフェ、飲料メーカーなど食品業界にとってブランドロイヤルティは重要です。とくに独自のブランド体験を差別化要素としている企業にとって、**ブランドイメージを顧客と共創する効果**は非常に高いと考えられます。

　ゲーム業界でも工夫しだいで面白い試みとなりそうです。たとえば、キャラクターなどの商標をユーザーに開放して世界観の創造に参加してもらうことで、ゲームに対して愛着がわき、継続的に選ばれるゲーム作りにつながるでしょう。

　同じことは地域振興などにもあてはまります。地域ブランドを創出し育むためには、住民に自分ゴトと捉えてもらい協力してもらうことが効果的です。観光客や投資家に対して地域の魅力を伝えるためにも、地域コミュニティの結束を高めるブランドイメージの共創は重要です。

6.7 ワークフローの競争力強化

事業 Cleanlab Studio　運営 Cleanlab

ワークフローを強化する
学習データ改善プラットフォーム

生成AIを利用して企業データの品質改善を効率化。高品質のデータで学習した生成AIを活用して、ワークフローが生み出す価値の向上をサポート

図表6-7-1 生成AI時代の競争力のあるパイプラインと競争力のないパイプライン

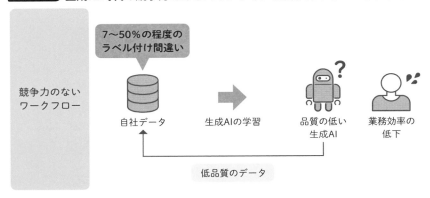

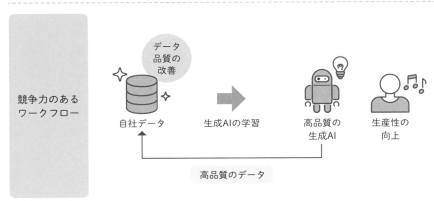

事例概要

コンピューターサイエンスの世界には「Garbage in, Garbage out」という言葉があります。これは、**AIの学習データの品質が低ければ、その学習データで訓練したAIの品質も低くなる**ことを意味します。OpenAIも自社のホームページで、「一度学習させた内容をAIに忘れ去れさせることは難しいため、品質の悪いデータは徹底的に除外する」と述べています。生成AIの利用が広がるなかで、AIの学習データの品質確保はこれまで以上に重要な課題となります。

Cleanlab Studioは、AIの学習データの品質を改善するためのプラットフォームです。一般に、AIの訓練に使用される学習データには7〜50%程度のラベル付けの間違いが含まれるといわれており、これがAIの性能を悪化させます。Cleanlab Studioは、マサチューセッツ工科大学の博士号取得者によって開発されたアルゴリズムを使用して、**文章、画像、音声、表形式などのデータの問題を自動的に検出し修正**します。同製品のテストでは、Cleanlab Studioのアルゴリズムは、データの問題を37%減少させ、その結果としてAIの精度を65%から78%へ改善したことが報告されています。

Cleanlabは自社のプログラミングコードをオープンソースとしても公開しており、資金力の限られたスタートアップや専門知識のあるエンジニアやデータサイエンティストのいる企業であれば、そちらを使用して検証をスタートすることも可能です。

ビジネスチャンス

アメリカの大企業における生成AIの活用は、検証の段階から**自社データでカスタマイズした生成AIを組み込むことで、より高い価値を生み出すワークフローを構築する**段階に入ったといわれています。日本でも数年後にはその段階に達すると考えられます。高精度の生成AIを使った業務からは高品質のデータが生み出される傾向があるため、**自社データの品質改善は持続的な競争力の源泉**となります（図表6-7-1）。

すでに大量のデータを抱える大企業にとっては、Cleanlab Studioのようなソリューションを使いこなし、自社データを最大の価値に変える仕組みを確立することが急務となります。新しいビジネスの創出を狙うスタートアップにとっては、AIの学習データの品質改善は新たな市場であり、たとえばCleanlabのオープンソース版のコードに基づいて優れた製品を生み出せれば、大きなビジネスチャンスにつながる可能性があります。

6.8 AIが歌声を再現

事業 VOCALOID:AI 運営 YAMAHA株式会社

本人の歌声を再現する
AIによる音声合成技術

深層学習技術を利用して声色や歌いまわしなどの特徴を抽出。入力された音符と歌詞に従って、まるで本当の人間のような生き生きとした歌声を創出

図表6-8-1 「VOCALOID:AI」使った歌声合成フロー

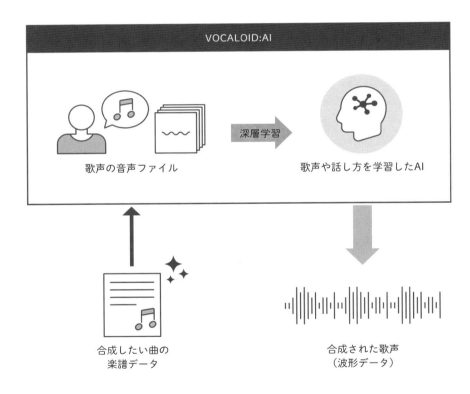

▲上記以外にも、アニメのキャラクターや人気ナレーターの声をAIに学習させてテレビ番組のナレーションやテーマパークの音声案内などの制作コストを削減する、有名小説家の声を学習させてその小説の内容を読み上げるコンテンツを作成するなどのビジネス活用が考えられる

事例概要

　YAMAHAが開発した「VOCALOID:AI」は、**深層学習技術を使用して歌手の声を再現**するための技術です。2019年に日本放送協会主導のもと、多数の協力者が集結して、昭和歌謡界を代表する歌手である美空ひばりの歌声を再現するプロジェクトが実施されました。このプロジェクトでは、美空ひばりの新曲「あれから」のライブ動画が発表されました。その動画ではホログラム映像を用いて実際に本人が歌っているような演出がされたのですが、その歌声やセリフはVOCALOID:AIで生成されたものです。この動画は同年12月31日の第70回紅白歌合戦で放送され、リアルな歌声が多くの感動を呼び、視聴者やファンの要望に応えて「あれから」はCD化されるなどの反響を生みました。

　「VOCALOID:AI」は目標とする歌手の歌声データから声色や歌いまわしなどの特徴を深層学習で学習することで、**その歌手独特の癖やニュアンスを含んだ歌声を、任意のメロディーと歌詞に合わせて生成**することを可能にします（図表6-8-1）。「あれから」のプロジェクトで「VOCALOID:AI」は、美空ひばり本人の生前の歌や話し声を収録した音源から、本人の歌声や歌い方、話し方の特徴を学習しました。「VOCALOID:AI」は深層学習技術を用いることで、**従来のボーカロイドに比べてより自然で表現豊かな歌声の再生を実現**しています。

ビジネスチャンス

　音楽業界でのAI活用事例として話題になったのが、2023年11月2日にリリースされたザ・ビートルズの新曲「Now And Then」です。ジョン・レノンが生前に残したピアノとボーカルの音源からAIを用いた音源分離処理を施してボーカルだけを抽出し、他のメンバーの演奏にそのボーカルを乗せて完成させたのです。この例はVOCALOID:AIとは異なり歌声を生成したわけではありませんが、伝説的なミュージシャンが数多く存在する音楽界では、新曲の制作や未完の曲を完成させるといった領域にはビジネスチャンスがあるでしょう。

　ただ、**音楽は人間の表現行為です。それらの作品をビジネスなどで利用する際には、いうまでもなく音楽家の権利や人格を最大限の尊重する配慮が必要**です。

事業 Rembrand 運営 Rembrand

動画配信を手軽にマネタイズする生成AIのプロダクトプレイスメント

生成AIを利用して動画に自然に溶け込むプロダクトプレイスメントを実現。
自由にコンテンツを制作しながら手軽にマネタイズ

図表6-9-1 「Rembrand」によるプロダクトプレイスメントの実行フロー

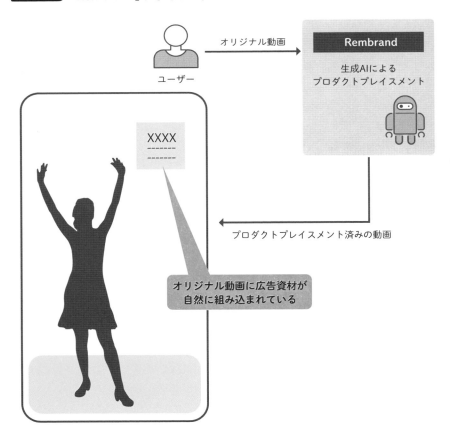

事例概要

　プロダクトプレイスメントとは、映画やテレビ番組、Webコンテンツなどのメディア内で、自然な形で商品やブランドを露出させるマーケティング手法です。古典的な広告手法ですが、従来は商品配置の交渉や映像の作成などに数週間から数か月、場合によっては数年かかることもありました。しかし生成AIを用いることで、**既存コンテンツに商品やブランドを自然に組み込むことが可能になり、迅速かつ簡単にプロダクトプレイスメントを実行**できます。

　「Rembrand」は生成AIを利用して、動画に広告資材の映像を配置するサービスです。これを利用してプロダクトプレイスメントを実行する場合、クリエイターは専用のプラットフォームに自身の作成した動画をアップロードすると、24時間以内にプロダクトプレイスメントが施された動画を受け取ることができ、その動画の視聴数に基づいて、広告主である企業から報酬を受け取ることができます。Rembrandの生成AI**は訓練のプロセスで物理法則を学習しており、動画中に配置された商品が、光やカメラからの距離、カメラの動きに自然に反応**します。商品は動画の視聴を通じて自動的に視聴者の視界に入り込むため、**標準的な広告をスキップする傾向のある若年層などの視聴者へのマーケティングに有益なツール**になると考えられます。

ビジネスチャンス

　すでに存在している動画にあとから自然な形で商品やブランドを追加できるプロダクトプレイスメントは、非常に大きな可能性を秘めています。

　たとえば、不動産物件を紹介するバーチャルツアーや動画内で、家具メーカーなどは売り込みたい商品をさりげなく配置できます。

　他の事例と同様にゲームやメタバース、VR/ARといった仮想空間でも活用できます。ワールドやキャラクターの衣装、アイテムなどにブランドを組み込めば、ゲーム体験を損なわずに自然な形でPRできます。

　SNSなどに投稿される動画も大きな市場といえます。インフルエンサーの投稿動画に自社商品を自然に組み込むなど、ターゲットとするオーディエンスに合わせたカスタマイズが容易に行えるため、柔軟性の高いマーケティングが実現できます。

事業 Chat with RTX　運営 NVIDIA

個人のPCから効率的に情報を引き出す高速なAIチャットボット

個人のPC上でチャットボットの構築を支援。クラウドサーバー上のLLMとの通信不要でプライバシーリスクを解消、ローカルデータで素早く返答する

図表6-10-1 「Chat with RTX」の概要

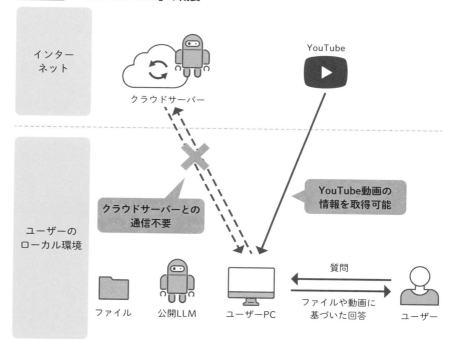

▲個人のPC上でのチャットボット構築し、ローカルファイルから効率よく情報を引き出すことを支援する。ユーザーの判断によってインターネットに接続してYouTubeの動画から情報を引き出すことも可能

事例概要

　生成AIを使ったチャットサービスでは通常、ユーザーがインターネット経由でクラウドサーバー上のLLMと対話をします。そのため、このようなサービスには、**ユーザーが入力したデータの漏えいなどのプライバシー上のリスクや、通信の往復によって生じる通信遅延のリスクがつきもの**でした。

　NVIDIAが開発した「Chat with RTX」は、個人のPC上でのチャットボット構築を支援することで、これらの懸念を解消するための技術です。これを利用して構築したチャットボットを使うと、ユーザーは自身のPCにダウンロードされたオープンモデルのLLM（MetaのLlama2など）への質問を通して、PC上のファイルから情報を引き出せます。たとえば、「東京滞在中に友人が勧めてくれたレストランは」と尋ねると、ユーザーのPC中のファイルをスキャンし、文脈に合わせた回答を生成します。LLMはユーザーのPC上で動作するためクラウドサーバーとの通信は不要であり、**ユーザーはプライバシーや通信遅延のリスクなくチャットボットと会話**できます。

　また、ユーザーの判断によってインターネットに接続してYouTubeの動画から情報を引き出すことも可能であり、インフルエンサーの動画に基づいたおすすめの旅行を尋ねることや、教育リソースに基づいたチュートリアルを受けることもできます。

ビジネスチャンス

　クラウドサーバーとの**通信が不要な生成AIアプリケーションは、とくにリアルタイム性や安全性が必要とされる領域での利用価値が高い**でしょう。たとえば自動運転車で活用すれば、周囲の環境の認識と適切な対応のプロセスが大幅に高速化されることで、より高品質で安全な自動運転システムの構築につながります。

　同様のケースは航空機にもあてはまります。航空機や空港で生成される膨大なデータをリアルタイムに分析し、即座に有益な情報提供が可能になります。飛行中の機体と待機中の機体を監視したり、メンテナンスの必要性を予測するといったことは安全性の向上に大きく寄与します。

　まったく別の業界では、小売業での活用も考えられます。データ処理速度の高速化により、顧客ニーズに即座に反応できるようになります。たとえば店内のカメラが顧客の行動をリアルタイムに分析すれば、その場でパーソナライズされたプロモーションを展開できるでしょう。

6.11 AI動画生成の民主化

事業 Sora　運営 OpenAI

テキストから一貫性を保った
高品質な動画を生成するAI

テキスト、画像、動画を入力し、高品質な動画生成を実現

図表6-11-1 動画の時空間潜在パッチへの変換イメージ

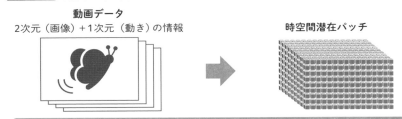

動画データ
2次元（画像）＋1次元（動き）の情報

時空間潜在パッチ

「動画」と「動き」の情報を「時空間潜在パッチ」という単位で処理

図表6-11-2 Soraによる動画生成のイメージ

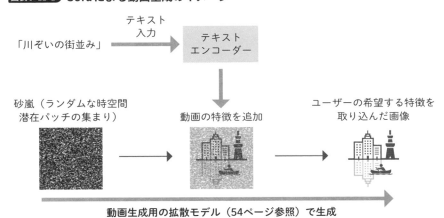

テキスト入力

「川ぞいの街並み」 → テキストエンコーダー

砂嵐（ランダムな時空間潜在パッチの集まり）

動画の特徴を追加

ユーザーの希望する特徴を取り込んだ画像

動画生成用の拡散モデル（54ページ参照）で生成

動画生成用の拡散モデルを使って、砂嵐（ランダムな時空間潜在パッチの集合）に、
「テキストで指定された特徴」を追加して動画を生成

事例概要

　動画は1枚1枚のフレームごとに、被写体や動き、シチュエーションなどの一貫性を保つ必要があり、生成AIによる動画生成は非常に難易度が高いとされています。これまでの動画生成AIでは顔しか動かせなく、ほんの数秒程度しか一貫性を保てませんでした。OpenAIが2024年2月に発表した動画生成AI「Sora」は、**1分にも渡り一貫性を保った動画生成が可能**です（図表6-11-1）。

　Soraはさまざまな長さやアスペクト比、解像度の動画を生成する汎用モデルとされています。学習時は動画データを圧縮し、時空間潜在パッチ（LLMでいうテキストトークン）に変換し、拡散モデルがベースの**Diffusion Transformer技術でテキストから動画を生成**します（図表6-11-2）。

　AIの動画生成はオープンソースプロジェクトも生まれており、**画像生成などと同様に一気に加速していくことが期待**されます。撮影機材や特別な技術なしで誰でも動画を生成できる時代がすぐそこまで来ているのです。

ビジネスチャンス

　45ページでも触れたように、**高品質な動画の制作は画像に比べて参入障壁が高い状況**です。個人レベルならばスマートフォンやデジタル一眼レフカメラなどコンシューマー向け製品であっても高品質な動画が撮影でき、無料で使える編集ツールなどを用いて高いレベルの動画が作成できます。しかし商用レベルなど、より凝った内容の動画が必要な場合は、ロケーションの選定や照明、音響、収音などの機材が必要な他、編集ソフトウェアもハイエンドなものが求められます。当然それだけ機材費や移動費、人件費などがかかるため、ここで取り上げたような動画生成AIは大きな期待を持って迎えられるでしょう。

　たとえば他章などで言及してきたゲームでは、発生したイベントごとに動画を生成するなど、少ない開発コストで動的に変化するシーンを表現できます。こういった用途はパーソナライズされたプロモーションなどにも活用可能です。また、映像作品で頻繁に使われるビジュアルエフェクトの生成、動きのあるビジュアルコンセプトの生成などにも活用できます。より長い時間の動画生成が可能になれば、誰もが映像作品を作れるようになり、現在の投稿動画のトレンドも様変わりするかもしれません。

6.12 カスタマイズ自在のチャットボット

事業 GPTs 運営 OpenAI

オリジナルの ChatGPT を作れるノーコードツール

特定のニーズに合わせて、Web 検索や画像生成、データ分析を活用し、あらゆるタスクを効率化できるチャットボットの構築を容易に実現

図表6-12-1 カスタマイズ可能なチャットボット（GPTs）に対する設定

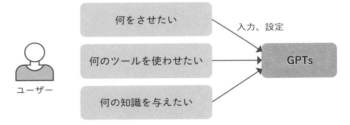

図表6-12-2 GPTs を活用する際のイメージ図

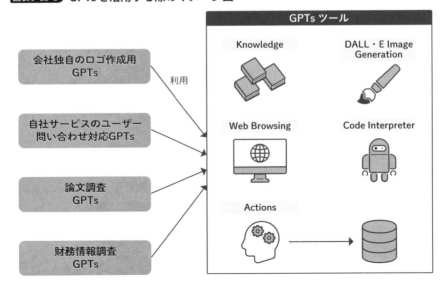

事例概要

　GPTsは、OpenAIのChatGPTをカスタマイズできるツールです。これにより、ユーザーは特定のニーズに合わせて独自のチャットボット（GPTs）を**ノーコードで作成**し、日常生活、仕事、家庭でのさまざまなタスクにChatGPTを活用できます。

　知識を取り込むKnowledge、**Web情報を動的に取得する**Web Browsing、**画像を生成する**DALL·E Image Generation、**データを分析しグラフ表示を行う**Code Interpreter & Data Analysis、**外部APIを活用できる**Actionsなどの機能を選択することで、プログラミングの知識がなくても、ユーザーはカスタマイズしたチャットボット（GPTs）を使えます。また、カスタマイズしたGPTsはGPT Storeを介して共有し、利用者数に応じて収益化が可能といわれています（2024年3月時点では、米国の一部の利用者でテスト中となっています）。とくに、外部システムとの直接的なインタラクションを可能にする「Actions」という機能は、外部データベースへの接続、Eメールの統合、eコマースの注文処理などの外部システムとの連携を実現できます。また、**GPTメンション機能として、他のGPTsを容易に呼び出すことでGPTsのさらなる活用**が可能となります。

　しかし、カスタマイズできるGPTsの利用および共有にあたっては、セキュリティリスク、とくにプロンプトインジェクション攻撃などの懸念があります。これらのリスクを軽減するためには、**システムプロンプトや指示に機密情報を含めないなど、データ保護の取り組みが重要**です（112ページ）。

ビジネスチャンス

　GPTsは調査分析や執筆支援など多くのビジネスの現場で必要とされるタスクにおいて、非常に高い応用力を持っています。人間が行うとそれなりに時間がかかるこれらの作業は、GPTsによりプログラミング不要で迅速かつ効率的にこなせるようになります。とくに、Actionsを利用することで、外部のシステムやデータベースと連携した複雑な処理も可能となり、ビジネスの応用が非常に広がるでしょう。

　多様なタスクをこなせる反面、**著作権侵害を避けるための適切なデータ活用も重要**です。GPTsを使用することで**開発費用が削減され、開発者への依存が減り、維持管理が容易になる可能性**があります。費用対効果のよいこのようなツールの活用は、これからますます重要となるでしょう。

6.13 3Dモデル生成技術の新時代

事業 TripoSR　運営 Stable AI, Tripo AI

1枚の画像から高速に 3Dモデルを生成するAI

単一画像からの高速3Dオブジェクトを生成するモデル

図表6-13-1 「Large Reconstruction Model（LRM）」の概要

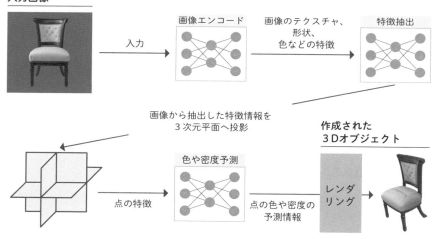

出典：Cornell University「LRM: Large Reconstruction Model for Single Image to 3D」をもとに筆者作成

図表6-13-2 TripoSRの3大特長

①高速性

ハイエンドGPU（NVIDIA A 100）を使用してテストした結果、おおよそ0.5秒でドラフト品質の3Dモデルを生成することが可能

②高いアクセシビリティ

GPUがなくても動作する設計により、さまざまなユーザーが容易に利用可能

③オープンソースとして公開

モデルの設定とソースコードは公開され、誰でも自由に利用できる

事例概要

Stability AIとTripo AIは、**単一画像からわずか1秒以内に高品質な3Dモデルを生成**できる最先端技術「TripoSR」を発表しました。この技術はエンターテインメント、ゲーム開発、工業デザイン、建築設計など多岐にわたる業界の需要に応えることが期待されています。2023年11月に公開された論文をもとにしており、単一の入力画像から5秒以内に3Dオブジェクトを再構築するモデル（図表6-13-1）が利用されています。

従来の方法が小規模なデータセットや特定カテゴリー（車や家具など）に基づいて訓練されたのに対し、比較的大きな500万個の学習可能パラメーターを持つモデルとなっているようです。実際に動作させてみると高速に生成されますが、元画像で見えていない部分がきちんと再現されていないなど、実用にあたってはいまひとつという感は否めません。

現時点では発展途上の面があるものの、上にあげた高速性は現場にとって大きなメリットです。一般的な3Dレンダリングソフトの場合、PCのスペックに依存するものの3D画像の生成にはある程度の時間がかかります。また、TripoSRは**GPUがなくても動作するというアクセシビリティの高さ**も特徴です。このことはハイスペックPCを持たないユーザーに対する3Dレンダリングのハードルを下げます。さらに**モデルの設定とソースコードが公開**されているため、誰でも自由に利用できる他、カスタマイズ性が高いというメリットもあります。こうした点からも、今後の改善に大きな期待がかかります。

ビジネスチャンス

3Dモデルは、3Dモデルのまま扱うケースと、そこからリアルの製品を設計するケースがあります。前者では、やはりゲームや仮想空間、また3DCGなどでの制作コスト削減メリットが大きいでしょう。最終的には人間による作り込みが必要だとしても、迅速なキャラクターデザインやプロトタイピングは、人間の手間を大きく減らします。それだけでなく、人間には思いつかないような新しい工業デザインなどが生まれる可能性もあります。

生成AIによる新しい創作物は、人間の創作活動にとっても刺激になるはずです。たとえばクライアントに対して、まったく新しい発想に基づくプレゼンテーションを行えば、ビジネス機会の創出にもつながります。

事業 Devin　運営 Cognition

完全自律型
AIソフトウェアエンジニア

完全自律的に動作するAIエージェントが、ソフトウェア開発を根底から変革

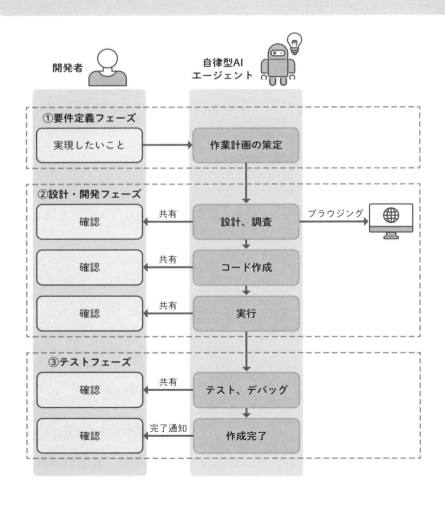

事例概要

　Devinは、AIスタートアップのCognitionが発表した世界初の完全自律型AIソフトウェアエンジニアです。**複雑なエンジニアリングタスクの計画と実行を自動的に行います**。これまでの生成AIを活用した開発支援AIツール（158ページ）は、開発者の細かな入力や指示を前提にし、あくまでも開発を支援する利用方法が一般的でした。それに対して、自律型AIは、開発の目的やゴールのみを開発者から受け取り、AIがそれに向けて自動的に開発完了まで行うAIエージェントとして機能します。

　Devinは開発者ツール（シェル、コードエディタ、ブラウザ）を備えたサンドボックス環境内で動作し、開発の計画をしたうえで、自律的に外部のデータを調査、リアルタイムに進捗を共有・報告し、ソフトウェア開発を行います。2024年3月時点ではまだ一般公開されておらず、課題も多く残っているようですが、Devinのような自律型AIエージェントを活用し、さらに高効率にソフトウェア開発を行うことで、より創造的で、野心的な目標を達成できる可能性があります。

　こういった**複雑なタスクを実行するAIエージェントを開発する試みは他にも多数発表**されています。生成AIを活用したマルチエージェントフレームワーク「AutoGen」や、Microsoftが論文で発表した自動開発フレームワーク（AutoDev：Automated AI-Driven Development）、Devinの類似機能をオープンソースとして開発を行うプロジェクト（Devika）など、**2024年はAIエージェントに関係する技術発展が一層期待**されます。

ビジネスチャンス

　このようなAIエージェントを利用する利点は、開発プロセスの自動化と最適化です。左図のように、**人間の開発者が行っていたほとんどの作業はAIエージェントに代替**されます。細かい部分では、コードに存在するバグを事前に発見し、修正まで自動で行えます。人間のプログラマーがバグ探しに何時間もかける時代はもはや過去のものになるでしょう。こうした自動化は当然、開発スピードのアップにもつながります。大規模なプロジェクトであるほど受けられる恩恵、すなわち開発コスト削減効果は大きくなります。リリース後にセキュリティの脆弱性やエラーの対応に悩まされることも少なくなります。保守運用コストも圧縮され、その分販促活動や新規プロジェクトに力を注ぐことが可能となるでしょう。

Column

「ドラえもん」を現実化する AI技術の未来

日本人にとっておなじみのネコ型ロボット、ドラえもん。のび太くんが困ったとき、ドラえもんに助けを求めると四次元ポケットからいろいろな道具をすぐに取り出して、何でも解決してしまう。多くの人がドラえもんと聞いて思い浮かべるのはそんなシーンだと思いますが、このシチュエーション、ChatGPTに質問するのと似ていませんか？

実はAI研究者にとって、「ドラえもん」の実現は夢であり、目標であり、わかりやすい指標でもあるのです。**リクエストに応えて何でも作り出せる生成AIは、ドラえもんの実現に近づく1つのブレイクスルー**と捉えることもできます。

もちろんドラえもんはフィクションであり、現実の世界で知能や感情が人間とまったく変わらないレベルの「ドラえもんのようなAI」の実現はまだ先になると考えられますが、**「ひみつ道具」のいくつかはすでに現実のものとなりつつあります**ので、いくつか取り上げてみましょう。まず思い浮かぶのは、本章でも取り上げた「ほんやくコンニャク」です。文字通りこんにゃく状の食べ物で、これを食べると話した言葉が自動的に相手の国の言語に翻訳されるという道具です。これを機械によるリアルタイム翻訳と考えるならば、Google翻訳といったアプリケーションですでに実現できています。また、仕事を手伝ったらお駄賃をくれそうな人を探してくれる「オダチンパンジー」は、マッチングサービスやクラウドソーシングサイトによって実現されたといえるでしょう。他にも、人物写真からそっくりの銅像を作り出す「そっくり銅像キット」は3Dプリンターといえますし、最短ルートを教えてくれる「近道マップ」などはすでにGPSを用いたアプリとして実現できています。

このように、ドラえもんとひみつ道具は、AI研究者にとってとてもわかりやすい指標なのです。AIの観点で捉えると、**人間と同様の知識や感情を持った「強いAI」がドラえもん、特定のタスクに特化した「弱いAI」がひみつ道具といえます**。このように考えると、ドラえもんが生まれた未来の世界に、私たちは一歩一歩近づいていることが実感できますね。（荻野）

生成AIの潮流を知り ビジネスを加速する

第7章ではここまでの流れを踏まえ、生成AIがもたらしたインパクトとパラダイムシフトを振り返ります。そのうえで短期・中期・長期に渡って起こりうる私たちの生活への影響とビジネスにおける環境変化を想定し、今後のビジネスチャンスをつかむためのヒントとなる展望と課題を考察します。

これから起こりうる生成AIの潮流

3つの時間軸で生成AIの未来を洞察

　本章では生成AIの世界に起こりうる潮流を、「短期的」「中期的」「長期的」の3つの時間軸で解説します。

　図表7-1-1は第1章でも紹介したハイプサイクルに潮流を示したものです。また、図表7-1-2は短期・中期・長期ごとに起こりうるトピックを一覧にしたものです。以降の各節にて詳しく見ていきます。

図表7-1-1 生成AIに訪れる未来とハイプサイクル

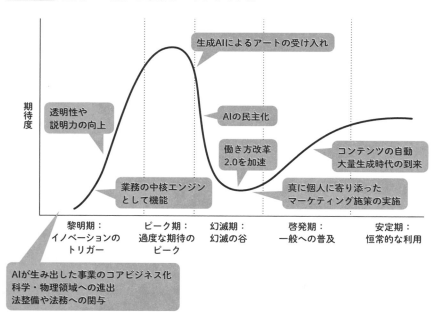

図表7-1-2 本章で解説する内容

短期的（現在〜2年程度）に実現すると考えられる変化

コンテンツの自動大量生成 時代の到来（226ページ）	生成AIにより、個々のユーザーに最適化されたコンテンツが高速で大量に生産、消費されるように
真に個人に寄り添った マーケティング施策の実施 （228ページ）	マーケティングが高度化することで企業は顧客個人の課題やニーズを詳細に理解。双方はより深い関係性でつながる
働き方改革2.0を加速 （230ページ）	属人的に行われてきた作業は自動化され、コンテンツ制作やプロジェクトマネジメントなどの専門性が高い分野も生成AIで自動化

中期的（現在〜5年程度）に一般化が進むと考えられる変化

AIの民主化（232ページ）	誰もがAIを使えるようになることで、芸術や科学の振興が後押しされる
業務の中核エンジンとして 機能（234ページ）	実務から経営まで、ビジネス対応もAIが臨機応変に実施。持続可能な企業戦略にも生成AIが貢献
生成AIによるアートの 受け入れ（236ページ）	AIと人間との協業によりアートが生まれ、作品理解を深める対話相手としてもAIが活躍
透明性や説明力の向上 （238ページ）	説明可能なAIが、AIの複雑な意思決定プロセスを人間に理解可能な形で説明するように

長期的（現在〜10年程度）に顕在化すると考えられる変化

AIが生み出した事業の コアビジネス化 （240ページ）	「AI起業家」が新規事業を創出し、産業の新しい中核として経済をリード
科学・物理領域への進出 （242ページ）	AIによるシミュレーションで緻密な仮説検証がなされるようになり、新発見までの速度が加速。科学技術の発展に大きく貢献
法整備や法務への関与 （244ページ）	法令の定義や執行、弁護活動を生成AIが支援。ビジネスではAIによる契約起草と交渉を実現。法務領域の多くをAIがになう

コンテンツの大量自動生成時代の到来

▶ コンテンツは大量に生産、消費される

私たちは毎日SNSなどに流れてくる投稿や広告、ショート動画、ニュース記事などを目にし、消費しています。これらのコンテンツの多くは、一般人はもとより、企業のマーケティングチームやニュース記者、動画クリエイターなどが日夜情報収集し、何時間もかけて原稿執筆や動画撮影などを行い配信したものです。そうした手間暇をかけて制作・配信したコンテンツの多くは、大量に配信されるコンテンツのなかに埋もれ、誰にも気に留められないまま消費されていく運命をたどります。

生成AIは、このコンテンツ大量消費に拍車をかけるでしょう。本書でも触れてきたように、広告クリエイティブや記事執筆などにおいて、生成AIの導入が始まっています。短期的な見通しとして、この流れが加速していくでしょう。つまり、人はより価値のある（＝より多くの人が気に留める）コンテンツ企画に注力し、新しい表現手法を編み出し、あとはAIに任せるという変革です。

▶ 短期的変化 〜高度なパーソナライズ〜

おもに企業におけるコンテンツ制作領域に起こりうる短期的な見通しを眺めていきましょう。まずは「パーソナライズ」です。**顧客一人ひとりに合わせた（パーソナライズした）コンテンツがスタンダード**になるでしょう。これまでもSNS広告などはユーザーの属性ごとに配信する内容を最適化していましたが、生成AIは配信する広告そのものを個別に生成できます。これにより、企業はより高いエンゲージメントとコンバージョン率が得られるでしょう。

また、複数のクリエイティブを作り、どちらがより高い効果をもたらすかを確認する**A/Bテストや、グローバルに展開するサービスにおいて必須である多言語化も生成AIによって最小限のコストで実現**できます。

オートパイロットによる効率化

コンテンツアイデアの生成、キャプションの下書き、プラットフォーム最適化など

大規模なパーソナライズドコンテンツ

ユーザー個人個人に特化したコンテンツの配信

強化されたA/Bテスト

見出し、画像、行動喚起文のバリエーションを自動生成

自動翻訳

コンテンツをシームレスに自動翻訳し、海外市場を開拓、ブランド認知アップ

マイクロコンテンツの台頭

タイムパフォーマンスを重視するユーザー向けにショート動画などを量産

リミックスの芸術

既存コンテンツを新しいフォーマットに変換し、新しい価値を創出

データドリブンなコンテンツインサイト

生成AIによるパフォーマンス分析で投資収益率を最大化

Chapter 7 生成AIの潮流を知りビジネスを加速する

Point

　高品質なコンテンツを作成するには、専門的なスキルとリソースが必要でした。生成AIは、中小企業やスタートアップ企業にとっての参入障壁を下げるでしょう。

 誰もがプロフェッショナルなコンテンツを生成できる時代に

真に個人に寄り添った マーケティング施策の実施

▶ ハイパーパーソナライゼーション革命の先頭に立つ

　過去10年のインターネットサービスは、一人ひとりのユーザーのニーズに向き合うパーソナライゼーションを発展させてきました。たとえばECサイトで買い物をすれば、買い物の傾向ごとに自動的にオススメ（レコメンデーション）が提案され、あるいは関心のありそうな広告が表示されます。これは行動パターンの傾向が近いユーザーごとにセグメント化して、事業者はセグメント単位でニーズに応えるというパーソナライゼーションの一形態です。

▶ 好みやニーズ、課題を詳細に理解し、顧客個人と深くつながる

　第1章で簡単に触れた生成AIによるパーソナライゼーションは、短期的に進化すると思われるものの1つです。従来は、たとえばAさんがある商品ページを開いたら、同じセグメント内のBさんの購入履歴などをもとにおすすめの商品などを表示しました。これに対してAIを用いた場合、Aさんのユーザー登録情報や過去の購入履歴などをもとに、より最適化されたレコメンデーションが可能になります。この例のように、個人に特化したパーソナライゼーションを「ハイパーパーソナライゼーション」と呼びます。

　未来のマーケティングは「個人」の一言で表せます。遠からぬ将来、生成AIはハイパーパーソナライゼーションを先導し、企業と顧客が1対1でつながるマーケティング手法をもたらすでしょう。企業は顧客が本当に興味のある商品やサービスの案内メールやクーポンを顧客ごとに生成して送ることができるようになり、誕生日などのコンバージョンの高まるタイミングで、顧客に応じた内容の広告を生成し表示できるようになります。また、Webサイトに用意されたチャットボットは、顧客の感情を読み取り、顧客の購買意欲により響くメッセージのやり取りが行えるようになります。このように広告クリエイティブは**個々人に向けて自動生成され、マーケティング施策はより洗練されていく**でしょう。

「マーケティング」領域に変化をもたらすAIサービスの例

あなたのために作られたコンテンツ

コンテンツの自動生成・自動調整。興味に合わせてコンテンツを動的に表示

パーソナルタッチのある会話インターフェース

AIチャットボットが個々のコミュニケーションスタイルを理解し、顧客の感情に合わせて口調を調整。このようなパーソナライズされたアプローチは、信頼を育み、より強固な顧客関係を構築

フェアなダイナミックプライシング

リアルタイムの市場データ、顧客の好み、さらには競合他社の価格まで分析し、ダイナミックな価格設定戦略を提案。顧客にとってのフェアな価格を提供

パーソナライズされたオファーとプロモーション

個々のニーズと購買行動を予測可能になり、顧客が本当に興味のある商品のメールオファーを受けられるターゲティングが実現

「おすすめして」カルチャーへ

レコメンデーション機能が顧客ニーズを読み込んでいるためユーザーの意思決定は簡素化。選択の疲れを軽減し、顧客に行動を促す

AI搭載のリサーチとデータ分析

大量のデータセットを分析し、より深く個人を理解

Chapter 7 生成AIの潮流を知りビジネスを加速する

Point

　AIが個々人に寄り添うことで客のソーシャルメディアでの行動、購入履歴、さらには閲覧習慣までを分析し、詳細な顧客プロファイルを作成することになります。これにより、企業は個々の顧客の好みやニーズ、課題を、これまでにないほど詳細に理解できます。

 より深く顧客個人を理解できる時代に

働き方改革2.0を加速

▶ 作業の自動化やコンテンツの生成に貢献

　各章でも紹介してきたように、生成AIは私たちの働き方に大きな変革をもたらします。これまでもRPAやExcelマクロといった自動化ツールを駆使することで、私たちは単純作業や反復作業から解放されてきましたが、自然言語でタスクをリクエストできる生成AIにより、**マクロなどを使うのに求められる最低限のスキルさえ不要**になります。たとえば、複数のデータを1つのファイルにまとめて集計してレポートを出力するといったタスクは、日本語でそのように生成AIに指示すれば即座に実行されます。

　また、生成AIによる精度の高い翻訳は言語の壁を取り払います。言語がわからずとも海外の一次ソースから鮮度の高い情報を入手することや、海外チームとのリアルタイムのコミュニケーションができるようになるでしょう。

▶ コンテンツ制作やプロジェクトマネジメントなど専門分野も自動化

　生成AIにより専門スキルが一般化、また自動化していくことも考えられます。たとえば、マーケティングや意思決定に欠かせないデータ分析は専門スキルが必要ですが、データさえあれば誰もが意味のある洞察を得ることができるようになるでしょう。これまでに述べてきたコンテンツ生成も同様です。グラフィックツールを使いこなすノウハウがなくても、目的に応じたコンテンツが生成できます。コピーライティングスキルがなくても、何通りものキャッチコピーを生成できるようになるのです。

　すでに多くのAIチャットボットが稼働していることからもわかるように、**カスタマーサービスは根本的に変わります**。顧客対応業務は従来、何時間もの研修を受けたスタッフが行ってきましたが、**人間が対応するのは一部の複雑な問題だけになる**でしょう。また、プロジェクトマネジメントなどの管理業務も大幅に変化します。スケジューリングやリソースの割り当て、進捗の追跡は自動化され、並行して動く**複数タスクの締め切りや複雑な依存関係を持つプロジェクト**を効率化します。

「働き方」領域に変化をもたらすAIサービスの例

オートパイロットによる反復作業

フォームへの入力、レポートの生成、ミーティングのスケジューリングなどの反復作業を自動化

強化されたコミュニケーションとコラボレーション

メールやドキュメントをリアルタイムで翻訳し、世界中のチーム間でシームレスなコラボレーションを促進

スマートなメール管理

メールを自動的に要約し、重要なメッセージを優先順位付け、さらにはパーソナライズされた返信をドラフト

オンデマンドのコンテンツ作成

メールのニュースレター、プレゼンテーションまで、さまざまな形式のコンテンツをオンデマンドで作成

パーソナライズされた学習と開発

特定スキルのギャップに対処するカスタマイズされたトレーニングモジュールの提供

合理化されたカスタマーサービス

生成AIは顧客からの質問に原則対応し、一般的な問題のトラブルシューティングを行う。複雑な問題のみを人間のエージェントにエスカレーション

自動化されたプロジェクト管理

プロジェクトのスケジュール、リソースの割り当て、進捗状況の追跡を自動化

Point

　生成AIは単なる技術的な驚異ではなく、人類の進歩を加速させる触媒です。反復作業の自動化やクリエイティブコンテンツの生成能力を持ち、今後2年間で企業運営を一変させる可能性を秘めています。

 効率的な働き方の未来を生成AIが創出

AIの民主化

🔵 仕事や生活のクオリティを底上げする

第1章でも触れたように、これまで専門的な技術を持った人にしか扱えなかった**AIを誰もが使えるようになる状態を「AIの民主化」**といいます。自然言語で扱える生成AIの登場により、今後3年程度でAIの民主化は実現すると考えられます。一部の研究者だけが使っていたインターネットがいまや全人類の手のひらに収まったように、AIも近いうちに当たり前の存在になるでしょう。

生成AIを提供するプラットフォームは、誰にでも使いやすい方向により進化します。たとえば独自のデータを簡単な操作で読み込ませて、ユーザーがやりたいことに特化したAIシステムを構築できるようになります。データサイエンティストがやっていたような高度な需要予測なども生成AIを用いて個人でできるようになり、個人や小規模な企業であってもAIの能力を最大限に活用できます。スマートフォンなどに搭載されているSiriやAlexaといったパーソナルアシスタントは機能面でも使いやすさの面でもさらに高度化し、仕事や日常生活、学習、リスキリングなどにおいても私たち一人ひとりにパーソナライズされたアシスタントになってくれるはずです。それもいま以上に簡単な操作で、です。すでに生成AIの活用が盛んな教育・学習領域においては、**個人個人の知識ギャップや学習スタイルに、よりきめ細かく寄り添ったアプローチを提供**する方向に進化するでしょう。

🔵 芸術や科学の振興を後押しする

このあとも説明しますが、芸術分野における生成AIの利活用には現時点では法的倫理的なハードルがあります。しかし、議論の深まりと共に抵抗感は収まるでしょう。先端をいく科学分野でさえ、生成AIによる変化は避けられません。複雑なデータセットの分析や仮説の生成、実験の設計など、多くの科学者はその恩恵に預かれるでしょう。

AIの民主化により、研究者以外の一般人がデータを収集できるようになり、科学的突破口につながる研究プロジェクトに貢献する可能性もあります。

図表7-3-1　「AIの民主化」領域に変化をもたらすAIサービスの例

ノーコードAI作成プラットフォーム

技術的な専門知識がなくても、誰もが基本的なAIモデルを作成可能に

誰もが使えるAI搭載パーソナルアシスタント

ニーズを予測し、予定を調整し、To Doリストを管理し、さらにはパーソナライズされた学習方法を提案

解き放たれたAI駆動の創造性

ミュージシャンがサウンドトラックを作曲するとき、ライターが自分の作品を書くとき、デザイナーがユニークなビジュアルコンセプトを描くとき、生成AIはリアルタイムにフィードバック

一般人による科学的発見

複雑なデータセットの分析、仮説の生成、実験の設計を支援し、市民が科学的突破口につながる可能性を拓く

ニーズに合わせたパーソナライズ教育

生成AIの家庭教師は個々の学習スタイルとニーズに適応し、特定の知識ギャップに合わせてカスタマイズされたカリキュラムによって、誰もが学習成果を向上

情報へのアクセスを民主化

テキストと音声のリアルタイム翻訳を提供し、情報フィードをキュレーションし、複雑なトピックを要約し、膨大なデータから意味のある洞察を引き出す

Point

　過去のAIは一部の大企業や研究機関が支配していました。しかし、今後5年間で、生成AIによって支えられた、AIの民主化された状況が約束されています。

誰もがAIにアクセスでき、誰もが力を得られる未来に

7.3 中期的（現在〜5年程度）に一般化が進むと考えられる変化

業務の中核エンジンとして機能

◗ ビジネスの直接的な対応もAIが臨機応変に行う

　生成AIの進化によって、**ビジネスの直接的な実行までを視野に入れた動きが出てくる**でしょう。交渉戦術の立案から実際の交渉、顧客とのインタラクション（やり取り）、マーケティングキャンペーンまで、AIはより効率的、効果的、そして収益をもたらす強力なビジネス実行ツールとなります。

　具体的にイメージしてみましょう。AIの活用により、交渉担当者は過去の取引データを分析し、相手側の出方を予測できるようになります。相手の考えをリアルタイムに把握することで、より有利な状態で交渉を行え、リスクを最小限に抑えられます。顧客とのインタラクションは、AIを通すことで「より人間を中心としたもの」へと変革します。

　AIチャットボットは、顧客の感情をリアルタイムで理解し、即座に応じられます。複雑な対応が必要とAIが判断すれば、人間のエージェントにシームレスにエスカレーションします。**結果として、顧客満足度を高める**ことができます。

◗ 持続可能な企業戦略にも生成AIが貢献

　小売業などにおいて販売価格を決めるには、市場動向、顧客行動、競合他社の価格を継続的に分析し、ダイナミックに設定する必要があります。仕入額、販売価格、販売数、利益などを事細かく検討して最適な価格を導き、生成AIにより**競争力を維持しながら利益率を最大化し、顧客に価値提供できるように**なります。在庫管理も同様です。需要変動を的確に予測し、適切な商品を適切なタイミングで適切な地域に提供でき、物流コストの削減にもつながります。また、製品開発もよりデータドリブンなアプローチへと向かいます。

　AIの民主化によりすべての企業で当たり前に行われるようになるインパクトは大きく、環境負荷低減まで手が回せない企業にとって強力なツールとなるはずです。

AIを活用した交渉と商談成立

類似の取引に関する過去のデータを分析し、潜在的な譲歩の可能性を特定。さらには相手方の次の動きさえ予測し、契約交渉や商談成立を支援

超パーソナライズされた顧客とのインタラクション

顧客の感情をリアルタイムで理解し、対応方法を提案

AI駆動のダイナミックプライシング

市場動向、顧客行動、競合他社の価格をリアルタイムで分析し、ダイナミックなプライシング戦略を提案

AIを活用したリスク管理と不正検出

トランザクションパターンを分析し、異常な活動をリアルタイムで特定することで、不正行為や金融損失のリスクを軽減

大規模なジェネレーティブコンテンツマーケティング

顧客プロファイルと行動に基づき、ターゲットを絞ったマーケティングによるコンテンツ生成

AI予測によるサプライチェーン最適化

過去のデータと外部要因を分析し、需要変動を予測し、在庫管理を最適化

AIを活用した製品開発とイノベーション

顧客からのフィードバックと市場動向を分析し、新製品のアイデアを生成し、既存製品を改良

Point

　今後5年間は、生成AIがビジネスにおける日常業務の実行方法そのものを変革する可能性を秘めています。

 生成AIがビジネスを加速させる実行エンジンに

生成AIによるアートの受け入れ

▶ AIと人間との協業で新たなアートが生まれる

生成AIは、アート（美術や音楽）の世界に大きな転換を起こしつつあります。2024年のいまはまだ、芸術におけるAIの役割に人々の抵抗感があります。しかし19世紀に肖像画家がカメラを受け入れたように、20世紀に写真家がPhotoshopを受け入れたように、アートの世界にもパラダイムシフトが迫っています。私たちは**AIと人間の独創性が融合し、まったく新しい芸術表現を生み出す新たな時代の夜明けに立っている**のです。写真家がPhotoshopによって新しい表現を生み出したのと同じように、AIは芸術分野を開放し、より豊かな未来を育むはずです。

アートは、人間の創造性に直接働きかける力を持っています。生成AIと人間の協業によって生み出されるアートは、人間の創造性をさらに拡張するでしょう。AIの民主化は、アートの民主化をも引き起こすのです。PCやスマートフォンの普及により、誰もがフォトグラファーになった現代は、その下地がすでにできあがっています。想像してみてください。夢の世界にインスパイアされた音風景、失われた文明の本質を捉えた絵画。誰もが自分の芸術的ビジョンを説明するだけで、AIは現実に描写します。さまざまな文化的背景を持った人たちが、**自分の描く概念をビジュアライズすることで、より包括的に多様性が受け入れられ、新たな視点が花開く**でしょう。

▶ インタラクティブな鑑賞は作品の理解を深める

アートの民主化は、その鑑賞方法にも変革をもたらします。美術館などにおける音声ガイダンスは、さらにインタラクティブに、より深くわかりやすいものになるでしょう。教育の項目でも触れたように、パーソナルアシスタントと組み合わせれば、個人の知識レベルに応じた最適化もできます。

アート領域の学習は、世界中の歴史や文化を楽しく学ぶのに最適です。**文化や世代を超えた相互理解を、AIによって実現できる**といっても過言ではないでしょう。

また、なぜそのアートが生まれたかを深く知ることは、0から1を生み出す思考プロセスをも育みます。より独創的なビジネスを生み出す機会が多くの人に与えられる未来もそう遠くないでしょう。

図表7-3-3 「アート」領域に変化をもたらすAIサービスの例

芸術表現の民主化

芸術的訓練を受けていなくても、誰もが魅力的なビジュアルや音楽を実現可能に。生成AIは、ユーザーの芸術的ビジョンを現実のものにする

芸術的コラボレーションの進化

創造のミューズとして機能し、新しいアイデアを刺激し、芸術的境界を押し広げることができるため、アーティストとAIの関係は、競争ではなくコラボレーションへ

新しい創造性

天上の音楽を可視化したり、ロボットが感じる感情を絵画にするなど、人間が想像もできなかったような芸術的概念やスタイルを探求することが可能に

パーソナライズされた芸術体験

個人の芸術的嗜好に基づいてバーチャル展示会をキュレーションするアートギャラリーや、個人の気分や感情に合わせてパーソナライズされたプレイリストを生成する音楽ストリーミングサービスを実現

AIを活用した芸術鑑賞と教育

作品の奥深い分析を提供するAIを活用したインタラクティブな美術館展示や、異なる学習スタイルに合わせたパーソナライズされた美術史のレッスンを生成するAIを活用した教育ツールを提供

Point

過去何世紀も、芸術は人間ならではの創造性の独壇場でしたが、今後5年間は、生成AIが芸術表現の新時代を切り拓くというパラダイムシフトの到来が約束されています。

 人間とAIが協力し、まったく新しい形の芸術や音楽を生み出す

透明性や説明力の向上

▶ 生成AIが「説明可能なAI」（XAI）を実現する

　第1章でも述べたように、**説明可能性はAIの開発や利用における最大の課題の1つ**でした。つまり、ニューラルネットワークを用いたAIモデルがどのようにその結論を導いたのか、人間の言葉では理解できないのです。この性質はAIに対する信頼を妨げ、さまざまなアプリケーションにおけるAIの可能性を制限してきました。AIは人間の脳を模していますが、その実体は計算式である以上、学習過程や出力結果に対する説明は現時点でも不可能ではありません。少なくとも発生確率の確率分布として示すことは可能です。

　ここでは、生成AIが「説明可能なAI」に与えるであろう変化について説明します。

▶ 意思決定プロセスが理解できるようになる

　AIは予測を行うだけでなく、その理由を明確簡潔に説明できるようになります。生成AIは、複雑なAIモデルの内部構造を分析し、その意思決定にいたったプロセスを人間が理解できる形で説明してくれます。たとえば、AIの思考プロセスをインタラクティブなビジュアルとして表現可能です。AIが結論に達するために使用したデータポイント間の接続を視覚的に表現することにより、ユーザーは最終的な意思決定を見るだけでなく、AIがそこに到達するまでのステップを追跡でき、モデルの推論に対するより深い理解を育めます。これにより、**ユーザーはAIの意思決定に影響を与える要因を理解し、その妥当性を評価できるように**なります。

　また生成AIは、反事実的説明を生成し、「もしも」のシナリオを探るために使用できます。たとえばAIを用いた融資承認システムにおいて、申請が否決された理由だけでなく、承認につながった理由を説明できます。このように、とくに信頼性や透明性が重要視される金融システムにおいて**説明可能なAIの実現は、革新的な効率化をもたらす**でしょう。

▶ 説明可能なAIによる4つの変化

信頼性の向上による導入率アップ

　前述の通り、私たちがAIの意思決定プロセスを理解することは、AIを信頼できるパートナーとして受け入れる土壌が育つことを意味します。さまざまな分野の企業や個人がAIを導入すれば、ここまでに述べてきたような**短期的、中長期的な変革が加速度的に広がる**はずです。

バイアスの低減と公正なサービスの実現

　AIの透明性が確保されることで、学習データにおける潜在的なバイアスを特定できるようになります。これによりバイアスが低減され、公正かつ倫理的なアプリケーション開発やサービス提供が可能になるでしょう。このことは**AIへのアクセス障壁をなくし、情報格差の縮小**にもつながります。

デバッグのしやすさ

　私たちはAIの意思決定プロセスを知ることで、その長所や弱点、限界を理解できます。このことはAIモデルの改良に役立ちます。エンジニアは、**ピンポイントでAIモデルのパフォーマンスに与える問題を特定し、修正**することができます。

人間とAIのコラボレーション

　AIの限界がわかることでAIと人間の役割を明確化でき、お互いのよい部分を引き出せるようになるでしょう。結果として、**AIを活用する幅が広がり、私たちはより価値のある仕事に注力**できるようになります。

図表7-3-4 AIが説明可能性を高めるプロセス

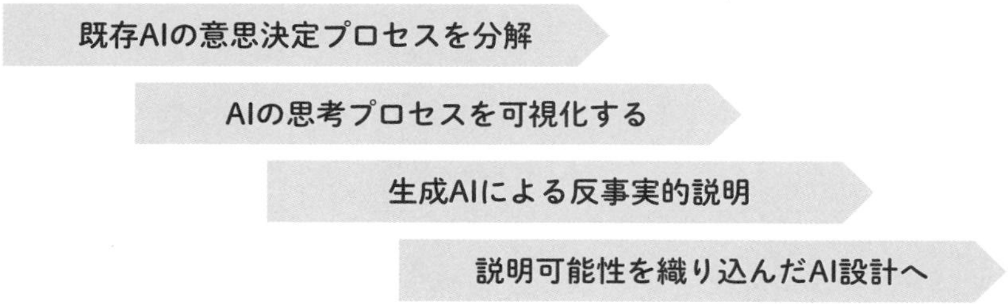

　　既存AIの意思決定プロセスを分解

　　　　AIの思考プロセスを可視化する

　　　　　　生成AIによる反事実的説明

　　　　　　　説明可能性を織り込んだAI設計へ

AIが生み出した事業の コアビジネス化

▶「AI起業家」が誕生する

「業務の中核エンジンとして機能」については234ページで中期的な変化として説明しましたが、ここでは長期的にどのような変化が起こるのかイメージを膨らませてみましょう。これまで見てきた通り、AIは既存ビジネスを強化するツールとして活用されてきました。機械学習はマーケティングキャンペーンを革新し、チャットボットは顧客とのやり取りを効率化します。そして今後10年を見据えたときに思い描かれるのは、**AIが自ら考えたアイデアにより、自律的に事業を起こす未来**です。

人間のリクエストによってデータを分析し、人間の壁打ち相手になるだけでなく、市場のギャップや機会を特定できるAIシステム。こうした「AI起業家」は、自ら生成AIを活用して革新的なビジネスアイデアを迅速に生成し、実現可能性調査を行い、プロトタイプや最小限機能プロダクト（Minimum Viable Product：MVP）の開発まで行えます。消費者行動、経済トレンド、技術進歩に関する膨大なデータセットを分析することで、**AIは満たされていないニーズを特定し、それを具体的に解決するように設計されたビジネスを生み出す**でしょう。

▶ 新しい中核事業を生成AIが担う未来に

AI起業家が有望なアイデアを思いつき、MVPを開発後、ビジネス運営の中核機能を引き継ぐのもAIです。AIは人間よりもはるかに高速にデータを処理し、パターンを認識できるため、迅速かつ効果的な意思決定が可能になります。

長期的な視野で私たちの仕事を見た場合、AIによる影響は間違いなくあるでしょう。それも日常的なタスクレベルでなく、中核的なタスクレベルで、です。そのことは人間に新しい仕事の機会を与えることになります。また、**人間の役割はおそらく、AIの監督、倫理的および法的配慮、そしてAIとの協働による創造的な問題解決に焦点を合わせたものへとシフト**していくでしょう。

AI起業家

データを分析するだけでなく、市場のギャップや機会を特定できる「AI起業家」は、生成AIを活用して革新的なビジネスアイデアを生成し、実現可能性調査を行い、プロトタイプやMVPを開発

AI起業家の市場分析

消費者の行動、経済的トレンド、技術的進歩に関する膨大なデータセットを分析し、満たされていないニーズを特定し、具体的に解決

AI起業家の事業計画

ビジネスの中核機能を処理する洗練されたAIは、物流とサプライチェーンを管理し、リアルタイムの市場変動に基づいて価格戦略を最適化、さらには特定の顧客層に合わせたメッセージングを調整する自動マーケティングキャンペーンさえも実行

AI起業家による営業

かつての営業マンが培ってきた営業のカンを理知的に分析することでパターン化し、顧客の感情を揺さぶると同時に、なぜ買うべきかの理由付けを論理的に提示

AI起業家の自己学習と進化

顧客からのフィードバック、販売データ、市場動向を分析し、ビジネス戦略や製品ラインナップを改善

人間とAI起業家の共生

人間は、これらのAI起業家に対して倫理的基盤、戦略的方向性、そして創造的なビジョンを提供し、感情的知能、社会とのかかわり、複雑な問題解決を必要とするタスクにも注力

Point

　今後10年は、AIが中核事業を担うことによりもたらされるイノベーションの新たな時代が約束されています。しかしこの未来を切り拓くためには、倫理的な影響を慎重に検討し、透明性を確保し、人間とAIのパートナーシップを確固たるものにすることが求められます。

 人間とAIは共調し、ビジネスを生み出す

科学・物理領域への進出

▶ 科学技術の発展に大きく貢献

　何世紀にも渡り、科学は観察と実験を通して宇宙を支配する基本法則を理解しようと努めてきました。このアプローチは目覚ましい進歩をもたらしましたが、多くの場合、莫大な時間と資源を必要とし、利用可能なツールや技術に制約がありました。すでに研究段階で始まっている次の動きとして、物理的な動きや事象を生成AIの学習データとしたときに、何かが得られるのではないかという考え方があります。子供がおもちゃの車を動かすことで、「動く」「回る」「止まる」といった事象と共に「加速度」「モーメント」「摩擦力」を本能的に学習するのと同じように、生成AI自身が物理現象から学ぶという点でパラダイムシフトを起こすのではないかと期待されています。

　生成AIは、今後10年以内に私たちが宇宙を理解する方法を根本的に変革し、**宇宙像を大きく変える可能性**を秘めています。超新星爆発や銀河の形成などの複雑な自然現象を、生成AIはすでに仮想環境（デジタルツイン）で再現することができます。天文観測データには従来の分析方法では見つけにくい隠れたパターンが含まれています。生成AIは、**一見離れた現象間の新たなつながりや相関関係を明らかにし、これらのパターンを特定**できます。これは、**画期的な発見と、物理世界に対するより深い理解につながる可能性**があります。

▶ 生成的仮説検証による発見の加速

　生成AIは、科学的発見プロセスを加速させることもできます。従来、科学者は仮説を立て、実験を通してそれを検証するというプロセスで研究を行ってきましたが、生成AIはこのプロセスの質を飛躍的に向上させることができます。**既存の科学的知識に基づいて、膨大な数の仮説を生成**することができるからです。生成された仮説は評価され、優先順位付けられ、科学者はさらなる調査を行うための最も有望な道筋へと導かれるのです。

観察を超えたシミュレーション

物理系を非常にリアルにシミュレーションすることができるため、科学者は実験室で再現するには危険すぎたり、コストがかかりすぎたり、時間がかかりすぎたりするシナリオを探索することが可能に

生成的仮説検証による発見の加速

仮説→実験検証というプロセスを加速させ、既存の科学的知識に基づいて膨大な数の仮説を生成

複雑なデータから隠れたパターンを発見

一見離れた現象間の新たなつながりや相関関係を明らかにし、これらのパターンを特定

材料設計と最適化

膨大な材料特性データベースを分析し、所望の特性を持つ新素材の組成を生成

科学的発見のためのパーソナライゼーション

科学的発見プロセスを学習し、個々の研究者の研究関心と過去の研究業績を分析し、関連するシミュレーションを提案し、仮説の優先順位付けを行い、潜在的な研究協力者を発見

複数分野の統合

細分化が進んだ現代科学において、離れた領域の法則を漏れなく理解している科学者はほぼ存在しないが、生成AIは分野を問わず学習しているため、これまで見落とされてきた法則が発見される可能性も

Point

　人間の創意工夫とAIのコラボレーションは、宇宙の秘密を解き明かし、さまざまな科学分野における画期的な発見とイノベーションへの道を拓くでしょう。

 科学探究の新たな時代が到来

法整備や法務への関与

▶ 法令定義、執行、弁護活動を支援

インターネットが普及して30年以上経ちましたが、いまだにネット関連の法整備が継続しています。同様に**AI関連の法整備も長期に渡って進められる**でしょう。IT分野の進化スピードに法律が追いつかないという状況は、今後しばらく続くと思われます。「AIと法律」というと、学習データや生成物における著作権がよく話題にあがりますが、ここでは法務分野におけるAIの影響という観点で見ていきましょう。

日本においては明治以降、フランスやドイツにならって法律を導入し、法整備を進めてきました。法律は、紛争解決や公正な社会基盤の維持に欠かせないものです。導入以来、改正を繰り返し磨かれた法令や積み重ねてきた司法判断、すなわち判例によって私たちの財産や生命、立場は守られていますが、そうした法律の運用も、生成AIによって少なからず影響を受けます。生成AIは法務の在り方を根本的に変革する可能性さえ秘めています。

たとえば**膨大な判例をAIに学習させれば、下される可能性の高い「判例」を生成することも技術的には可能**でしょう。AIが生成する判例は、既存の法的枠組みを置き換えるものではなく、現代社会に合わせ、社会の変化に即した既存法令の解釈の進化系として機能します。これにより、法制度がダイナミックさを維持し、新たな課題にも適応し続けることを保証する可能性があります。

▶ ビジネスではAI駆動の契約起草と交渉を実現

私たちのビジネス現場に目を向ければ、生成AIは契約の作成と交渉プロセスにも影響をおよぼします。判例と同様に、過去の契約書や紛争に関する膨大なデータセットを分析することで、生成AIは契約に潜む抜け穴や紛争に発展しやすい条項を特定できます。結果、契約書の作成業務は効率化され、**より包括的で漏れのない合意形成**へとつながります。さらに生成AIは交渉中のカウンターオファーを分析し、反論や

条項の最適な修正案を提案できます。

なお、生成AIを法務で活用するには、説明可能なAI（XAI）の実現が不可欠です。

図表7-4-3 「法務」領域に変化をもたらすAIサービスの例

生成された判例により進化する法令定義

莫大な判例法を分析し、法的潮流を特定し、「判例」の生成も可能に

AIによる契約ドラフト作成や交渉

法的に健全で包括的な契約のドラフティングや、交渉要件の明確化や修正条項を提案

誰もが利用できる法的支援

「AI法的支援者」は、法的プロセスをナビゲートするためのガイダンスを提供し、一般的な法的質問に答え、さらには遺言や賃貸借契約などの基本的な法的文書さえも生成

確率的モデリングによる予測的司法

生成AIは、可能性の高い判決を予測する確率的モデルを実現し、潜在的な差別的結果を含む既存の判例バイアスを指摘するアルゴリズム司法が開花

法的弁護における人間的要素

生成AIは法的調査や論理構成を支援することに注力する一方で、弁護人はクライアントに共感し、陪審員とつながり、法的過程の感情的な複雑さを乗り越える能力がより重視されるようになる

Point

　生成AIは、今後10年間に法務を根本的に変革する可能性を秘めています。法令定義の進化や契約起草と交渉の自動化、パーソナライズされた法的支援へのアクセス、予測的司法的結果の洞察力など、生成AIは法曹界全体に渡って効率性や精度、公平性を向上させる可能性を秘めています。しかし、これらの革新的なツールを活用するためには、倫理的な影響を慎重に検討し、透明性を確保し、人間とAIのパートナーシップをしっかりと確立することが求められます。

 人間とAIの連携を確立し、ガバナンスを強化

Column

AIから見える景色を重ねる

本書をここまでお読みいただきありがとうございました。

皆様から見えるビジネスの景色に、AIから見える景色は重なりましたでしょうか？

ビジネスへの取り組みで筆者がおすすめしたい方法は、AI導入も通常の事業立ち上げと同じステップを踏むことです。

たとえば運送業であれば、自社の強み・特徴は何でしょうか？　ある会社はトラックの保有台数かもしれませんし、ある会社は長距離輸送サービスかもしれません。

2024年問題とされる労働時間規制や燃料費高騰といった環境要因のなかで、何をすべきでしょうか？　AIによって運送ルートの最適化を行うことも、ダイナミックプライシングを導入することも可能でしょう。

ある会社は、単価の高い事業への転換を模索して鮮魚輸送に注力するかもしれません。あるいは、そもそもの原価管理と最適化が本質的解決につながることもありえます。

ERPが生産やコストを見える化し、CRMが顧客管理を可能とし、RPAが作業を自動化し、機械化が徐々に進んできましたが、本来、こういった分析の多くは専門的な知識と経験、ノウハウが必要とされてきました。しかし生成AIの登場によって、**自社分析に加えて、他社成功事例のリサーチから可能性の探索まで皆様の手の届くところにまで来ています。**

本書は、読者の皆様が関与するビジネスを振り返って課題を把握し、今後求めるビジネスを実現するためにどんな可能性があるのかを考え、将来を俯瞰できるよう、著者陣が持つ事業開発や事業運営の経験、AI知識とノウハウを軸に、ビジネスに必要なAI知識を集約しています。

AIの浸透を既存事業の危機とせず、ビジネスチャンスに変える。

そんな一助になればと思い、本書を上梓しました。

皆様のビジネスでの成功を祈念いたします。（荻野）

参考文献

- pwc：欧州「AI規則案」の解説　https://www.pwc.com/jp/ja/knowledge/column/awareness-cyber-security/generative-ai-regulation03.html
- Speaker Deck：ChatGPTの10ヶ月と開発トレンドの現在地
  https://speakerdeck.com/hirosatogamo/chatgptno10keyue-tokai-fa-torendonoxian-zai-di
- 『生成AIの法的リスクと対策』　福岡 真之介、松下 外 著／日経BP刊

Chapter 1　生成AIがもたらすパラダイムシフト

- Pew Research Center　https://www.pewresearch.org/short-reads/2023/05/24/a-majority-of-americans-have-heard-of-chatgpt-but-few-have-tried-it-themselves/（9ページ）
- Hiring Lab "Indeed's AI at Work Report"
  https://www.hiringlab.org/2023/09/21/indeed-ai-at-work-report/（18ページ）

Chapter 2　AIを「武器」にするために知っておくべきこと

- ITmedia：ヤマハ、深層学習で美空ひばりの歌唱を再現　VOCALOIDの技術をAIで発展　NHKで披露
  https://www.itmedia.co.jp/news/articles/1909/03/news121.html（44、208ページ）
- ITmedia：音楽生成AI「Suno AI」が話題、文章から楽曲を瞬時に作成 プロの音楽家も「これはヤバい」と驚愕　https://www.itmedia.co.jp/news/articles/2312/14/news202.html（44、208ページ）
- ASCII×AI：伊藤園がAIタレントを使ったワケ　https://ascii.jp/elem/000/004/167/4167831/（45ページ）
- 産総研マガジン：自然言語処理とは？　https://www.aist.go.jp/aist_j/magazine/20230621.html（50ページ）

Chapter 3　AIを導入＆開発するために必要なこと

- Youtube：生成AI活用動画にラベル付けの義務
  https://support.google.com/youtube/answer/14328491?sjid=1046518817146559813-AP（76ページ）
- Jupyter Notebook　https://jupyter.org/（104ページ）
- Streamlit　https://streamlit.io/（104ページ）
- Amazon Bedrock Playground
  https://docs.aws.amazon.com/ja_jp/bedrock/latest/userguide/playgrounds.html（105ページ）
- OSSサンプルコード（105ページ）
  Azureサンプルコード：https://github.com/Azure-Samples/jp-azureopenai-samples
  AWSサンプルコード：https://github.com/aws-samples/generative-ai-use-cases-jp
  GCPサンプルコード：https://github.com/GoogleCloudPlatform/generative-ai
- デロイト トーマツ、プライム上場企業における生成AI活用の意識調査〜社内の利用割合が高いほど成果を感じる　https://www2.deloitte.com/jp/ja/pages/about-deloitte/articles/news-releases/nr20240530.html（118ページ）

Chapter 4　［業界別］AIの活用動向＆効率化シミュレーション

- 総務省 令和4年版高齢社会白書
  https://www8.cao.go.jp/kourei/whitepaper/w-2022/zenbun/pdf/1s1s_01.pdf（146ページ）

Chapter 5　［目的別］生成AIの活用事例

- Bloomberg's First Generative AI Tool Hits the Terminal　https://www.institutionalinvestor.com/article/2cqjgsulkx3md4n3ox2ps/portfolio/bloombergs-first-generative-ai-tool-hits-the-terminal（171ページ）
- 金融業界特化型LLM「Alli Finance LLM」、提供開始！
  https://blog-ja.allganize.ai/alli_finance_llm/（171ページ）
- 700億サイズの金融業界（銀行・証券・保険領域）特化型の大規模言語モデル（LLM）
  パラメーターを公開〜「ConoHa byGMO」が提供する最新GPU「NVIDIA H100」を利用

https://prtimes.jp/main/html/rd/p/000000007.000124664.html (171ページ)

Chapter 6　生成AIによる新たな価値創出

● **AI model**　https://www.ai-model.jp/ (196ページ)
● 量子科学技術研究開発機構：心に描いた風景を脳信号から復元！〜生成系AIと数理的手法を用いた新たな技術を開発〜　https://www.qst.go.jp/site/press/20221130.html (198ページ)
● **Meta：Seamless Communication**　https://ai.meta.com/research/seamless-communication/(200ページ)
● オルツ、人格生成プラットフォーム「CLONEdev」のα版をリリース　https://alt.ai/news/news-2148/ (202ページ)
● **Forbes：AI学習データから「ゴミ」を除去　米Cleanlabが評価額1億ドル達成**　https://forbesjapan.com/articles/detail/67439 (206ページ)
● **YAMAHA：AI音源技術**　https://www.yamaha.com/ja/tech-design/research/technologies/aisynth/ (208ページ)
● **TripoSRのご紹介：単一画像からの高速3Dオブジェクト生成**　https://ja.stability.ai/blog/triposr-3d-generation (219ページ)
● **Introducing Devin, the first AI software engineer**　https://www.cognition-labs.com/introducing-devin (221ページ)
● **AutoDev:Automated AI-Driven Development**　https://arxiv.org/pdf/2403.08299v1.pdf(221ページ)
● **Devika**　https://github.com/stitionai/devika (221ページ)

掲載事例の参考企業 (Chapter 5)

● 株式会社ACES「ACES Meet」など (148ページ)
● Lawgeex「Lawgeex」など (150ページ)
● 株式会社マルジュ「ANDASU担」など (152ページ)
● Navan「Travel」など (154ページ)
● Pactum「NEGOTIATION SUITE」など (156ページ)
● GitHub「GitHub Copilot」、Anysphere「Cursor」など (158ページ)
● 株式会社WASABI「WASABI-LLM for 口コミ分析」など (160ページ)
● グラム株式会社「Jobgram AI採用アドバイザー」など (164ページ)
● ジュリオ株式会社「ジュリエット」など (166ページ)
● 株式会社Flucle「HRbase PRO」など (168ページ)
● Bloomberg「BloombergGPT」など (170ページ)
● サイバーエージェント「極予測AI」など (172ページ)
● Text CortexAIUG「TextCortex」など (174ページ)
● Suno「Suno AI」など (176ページ)
● 株式会社プロシーズ「LearningWare」など (180ページ)
● 株式会社イメジン「カイタク」など (182ページ)
● 株式会社ベーシック「ferret One」など (184ページ)
● tripla株式会社「tripla」など (186ページ)
● 株式会社PKSHA Workplace「PKSHA」など (188ページ)
● Onebox株式会社「yaritori」など (190ページ)

用語集

本書に出てくる IT、AI 関連用語をアルファベット順、五十音順で掲載しています。用語に続く数字は解説しているおもなページ番号を示しています。

アルファベット

■ **A P I** ……108, 109 ページ
（エービーアイ）

Application Programming Interface の略称。ソフトウェア同士が互いに情報をやり取りするために使用するインターフェースの仕様。

■ **ChatGPT** ……… 8, 9, 12, 33, 37, 41, 43, 47, 53, 82 ページ
（チャットジーピーティー）

OpenAI が 2022 年 11 月に公開した人工知能チャットボットの製品名。生成 AI の祖ではないが、世界的に急速に人気を集め生成 AI の一般認知に貢献した。2024 年春時点で GPT-4o までリリースされており、生成 AI を組み込んだサービスの多くが ChatGPT を利用して作られている。

■ **GPU** ……… 23, 59, 219 ページ
（ジーピーユー）

グラフィックス処理装置。Graphics Processing Unit の略称。画像処理に必要な計算を効率的に行うために設計された専用のプロセッサ。AI のデータ処理に適した構造になっており、たとえば深層学習を用いた AI の訓練に使用され、学習時間を大幅に短縮できる。

■ **LLM** ……… 12, 50, 52, 53, 58, 59, 60, 86, 87, 150, 151, 170, 171, 212～215 ページ
（エルエルエム）

大規模言語モデル。Large Language Model の略称。大規模コーパス（文書群）で事前訓練された、数百万から数十億以上のパラメーターを持つ人工ニューラルネットワークで構成されるディープラーニングモデル。対義語は SLM（Small Language Model）。詳細は50 ページ参照。

■ **O C R** ……… 100, 101 ページ
（オーシーアール）

光学文字認識。Optical Character Recognition の略称。手書きや印刷された文字をデジタルデータに変換する技術で、スキャンした文書や画像からテキストデータを抽出することが可能。手書きのメモや紙の文書をデジタルテキストに変換することで、データとして保存したり、検索したりできるようになる。

■ **PoC** ……… 116 ページ
（ピーオーシー）

概念実証。Proof of Concept の略称。新たな概念やアイデアの実現可能性を示すために、簡単かつ不完全な実現化を行うこと。多くの場合はモックアップのような簡易デモ作成とその検証を指す。

■ **RAG** ……… 82, 83 ページ
（ラグ）

Retrieval-Augmented Generation の略称。検索拡張生成データベース内の既存文書やインターネット上の文書への検索結果とを組み合わせて生成 AI を利用する手法。汎用 LLM を利用し、文書を学習するのではなく、入力データ（＝検索結果）をまとめることを生成 AI に指示することで回答生成を行う。

249

■ ROI <small>アールオーアイ</small> ……… 75, 116ページ

Return on Investmentの略称。投資収益率を意味する指標で、投資によって得られた利益を投資額で割って算出される。ROIを用いることで、特定の投資がどれだけの利益を生み出したかを評価できる。

■ RPA <small>アールピーエー</small> ……… 10ページ

Robotic Process Automationの略称。人間が行う定型業務の代替・自動化を行うプログラムを指す。実業務は整然と定型化されていないことも多いため、RPAの導入過程において既存業務の分類・定型化コンサルを伴うことが多い。

■ Transformer <small>トランスフォーマー</small> ……… 52, 195, 215ページ

文章データの処理に使われるAIモデルで、単語やフレーズ間の関係性を的確に捉えることができる。Transformerを用いることで、文章全体の文脈やニュアンスを考慮し、文中の遠く離れた単語やフレーズの関係性をも正確に理解することが可能になる。

あ行

■ オンデマンド ……… 231ページ

「要望に応じて」という意味で、顧客が望んだタイミングで動的に動画配信サービスなどを提供すること。一方で、前もってデータを用意しないことを指す場合もある。

か行

■ 機械学習（Machine Learning：ML） <small>きかいがくしゅう</small> ……… 30, 31ページ

コンピューターを使って大量のデータの背景にあるパターンを学習し、学習したパターンに基づいて新しいデータに対する判断や予測をする技術の総称。コンピューターがパターンを学習する手法には「教師あり学習」や「教師なし学習」などがある。第三次AIブームを経て発展した。

■ 強化学習 <small>きょうかがくしゅう</small> ……… 37, 157ページ

AIが置かれた環境に応じた最適な行動を学習する手法。学習データは使用せず、代わりに環境に応じた報酬を設定し、報酬を最大化する行動をAIに学習させる。アプリケーションは自動運転やロボティクスに利用されており、先端技術の社会実装における重要性から急速に発展している。

■ クラウド ……… 84〜90ページ

インターネット上のサービスとして提供されているハードウェアやソフトウェアを用いたコンピューターの利用形態。クラウド登場前にはピーク需要に対応したサーバーやルーターを購入してデータセンターに設置し保守運用が必要であった。クラウド事業者は、顧客全体のニーズをまとめて管理することで、各社リソースの凸凹を吸収し、コストダウンを実現している。対義語は、顧客各社が自己管理下にコンピューターリソースを持つ「オンプレミス」。

■ **クリエイティブ** ……… 120ページ

「創造的な」という意味だが、広告業界ではバナー広告などの画像やイラスト、配置などのビジュアルを指す。

■ **コーディング** ……… 158ページ

プログラムを書くことや、文字や画像、音声などのデータをコードに置き換え符号化すること。

■ **サプライチェーン** ……… 156ページ

商品の原材料調達から生産加工や在庫管理、流通や販売、各プロセスに携わる物流など、商品の開発から消費者の手に渡るまでの一連の流れ。この流れの管理をSupply Chain Management（SCM）と呼ぶ。

■ **シームレス** ……… 227, 231, 234ページ

継ぎ目がない、つなぎ目が見えないという意味で、複数のプロセスや機械、処理担当者などをまたがって物事がスムーズに進む様子。顧客がストレスなくサービスを受けられる状態や、企業間の取引が円滑に進む様子を表現する際に用いられる。

■ **ステークホルダー** ……… 74, 75ページ

株主・経営者・従業員・顧客・取引先のほか、金融機関、行政機関、各種団体など、企業のあらゆる利害関係者を指す。シェアホルダーは株主のみを指す。

■ **生成AI**（せいせいエーアイ） ……… 40〜47ページ

文字などの入力（プロンプト）に応じてテキストや画像などを生成するAI。学習データに含まれない新しいデータを生成することができる。アートや執筆、ソフトウェア開発、ヘルスケア、金融、ゲーム、マーケティング、ファッションなど、幅広い業界で応用が可能。ジェネレーティブAI（Generative AI）とも呼ばれる。

■ **ターゲティング** ……… 120ページ

属性情報・行動情報・ニーズなど、さまざまな観点からグループ分け（セグメンテーション）を行い、そのなかから対象が属していると思われるセグメントを狙い撃ちする手法。現在のネット広告のほぼすべてはターゲティングにて運用されている。

■ **知財**（ちざい） ……… 78ページ

知的財産（Intelectual Property：IP）の略称。特許権、実用新案権、意匠権、商標などの明確に保護されている権利の他、より広範に人間の知的活動によって生み出されたアイデアや創作物などを含む概念。準拠法によって権利主張の可否・適用範囲は異なるものの、ノウハウなども含めることが多い。法的保護の有無にかかわらず競合優位性の源泉となるため、AIでの知財の利用は議論となる。

■ **ディープラーニング（Deep Learning）**········ 33ページ

深層学習。人間の脳の構造に近づけるために多層化したニューラルネットワークを使用してデータを処理し、特徴を自動的に抽出する機械学習の一種。他の機械学習手法よりも複雑なパターンを学習でき、画像認識や文章データの処理などで優れた性能を発揮する。

■ **トークン**········ 87, 108ページ

生成AIモデルが扱うデータの最小単位。目安として、英語であれば1単語1トークン程度であり、日本語であれば1文字あたり1〜2トークンとなる。ただし、この目安は固定的なものではなく、生成AIモデルの進化とともに変動しうることに注意が必要。また、生成AIモデルでは、モデルごとに入出力できるトークンの数に制限がある。

な行

■ **ニューラルネットワーク（Neural Network：NN）**········ 32, 33ページ

脳の神経回路を模倣したアルゴリズムで、機械学習の一種。入力データを層ごとに処理し、複雑なパターンや関係性を学習する。これにより、画像認識や音声認識、自然言語処理など、多様なタスクに利用することができる。相互接続された多数のパーセプトロンで構成される。

■ **ノーコード、ローコード**········ 216, 217ページ

ノーコード（No-Code）は、プログラミングに関する専門知識がなくともソフトウェアの開発が可能な開発手法。多くはモジュール化されたプログラムを組み合わせたり、ユーザーが求める機能を自動補完する形で実際のプログラムが裏で実行される。ローコード（Low-Code）は完成形に近いものを手直しすることで手間を減らして開発が可能となるプログラミング手法で、手直しには専門知識を必要とすることが多い。

は行

■ **パーソナライゼーション**········ 10, 228ページ

ターゲティングをさらに進めて、グループから顧客一人ひとりの好みに応じて商品・サービスを提供する手法。大手ECはターゲティングとパーソナライゼーションの組み合わせで購買率の最大化を図っている。

■ **バイアス**········ 11, 239ページ

「偏り」「偏見」を意味し、AIにおいては「学習に使われた元データ群の偏り」および「その学習結果であるAIの出力の偏り」の双方を指すことが多い。

■ **ハイプサイクル**········ 12, 224ページ

新技術の登場によって生じる過度の興奮や誇張（hype、ハイプ）、それに続く失望を経て、実際に利益を生み出し、広範に受け入れられるかを説明するためのグラフ。スタートアップを中心として生み出される多くの新技術はこのサイクルを経ているというガートナー社の仮説に基づいている。

■ パイプライン ……… 194, 195ページ

コンピューターであれば、情報を同じくらいの処理時間で細切れにして流し、ベルトコンベヤーの要領で並行処理する手法。営業であれば、マーケティングやリード獲得、問い合わせ、提案、顧客予算獲得、顧客役員会承認、顧客発注、受注、請求書発行、入金といったプロセスが順次進むことを指す。毎月の受注や入金が偏らないように調整するパイプライン管理までを含むこともある。

■ ハルシネーション ……… 114, 115ページ

実際には存在しない情報を生成AIが作り出してしまう現象を指す。AIがトレーニングデータのパターンを過剰に一般化したり、データに存在しない関連性を想定してしまうことが原因と考えられている。ハルシネーションを防ぐためには、モデルのトレーニングデータを充実させることや、生成AIアプリケーションの内部でシステムプロンプトやRAGを活用した対策が考えられる。

■ ファインチューニング ……… 115ページ

機械学習の文脈においては、事前学習したモデルの重みを新しいデータで訓練する転移学習の1つ。ファインチューニングは、ニューラルネットワーク全体で行うことも、また一部の層に対してのみ行うこともできる。

■ プロトタイプ ……… 96, 97ページ

開発時の初期フェーズで作成される試作モデル。プロトタイプをもとに操作性やバランス、機能などを確認し、ユーザーからの評価を正式リリース前に反映させる開発手法を「プロトタイピング」という。

■ プロンプトエンジニアリング ……… 66〜69, 95ページ

生成AIモデルに対して適切なテキスト入力（プロンプト）を最適化し、望ましい応答を引き出す方法論を指す。プロンプトエンジニアリングを駆使することで、生成AIモデルの回答精度や品質を向上させることができる。たとえば、具体的な質問や指示、例示を与えることで、より有用で的確な応答を得ることが可能になる。この技術を専門的に対応するプロンプトエンジニアという職域も生まれた。

■ ベクトル検索 ……… 91ページ

画像やテキストなどのデータを数値的なベクトルデータに変換し、ベクトルデータ間の類似性に基づいて検索結果を返す技術。ベクトルデータは、テキストや画像などのデータポイントを高次元空間にマッピングした情報のことを指す。

ま行

■ マルチモーダル ……… 46, 47ページ

文章や画像、音声など複数の異なる形式（モード）の情報を取り扱う能力のこと。マルチモーダルな生成AIは、たとえば、文章の説明から画像を作成したり、画像を見てその内容を説明することが可能。マルチモーダル化は現在の生成AI開発の主要なトレンドである。

■著者紹介

荻野 調 Ph. D.（おぎの しらべ）

ハーバード大学大学院にて Computer Science 修士号を、東京大学大学院にて工学博士号を取得。一橋大学大学院 MBA。20 代はソニーなどにて新規事業の連続立ち上げや、500 億円規模の事業再編を経験。30 代は住友系・伊藤忠系ベンチャーキャピタルにて国内投資のみならず、海外投資を担当。Sand Hill Road の米国一流 VC と共にシリコンバレーやイスラエルなど数十社に投資し、M&A、IPO などのユニコーン Exit を推進。Microsoft に買収されてのちの Bing となった Powerset 創業者や HDMI の祖である Silicon Image 創業者などのエンジェル投資家の知己を得る。40 代はグリーにて事業開発部や子会社を率いて、グローバル事業を立ち上げ、Yahoo/KDDI などとの戦略提携・ゲーム会社などへの投資・事業立ち上げや事業売却などに従事。その後、アントレプレナーとして AI×Finance のスタートアップを設立し、銀行・証券業などの金融機関や官公庁に AI エンジンや AI サービスを提供し、その後事業売却。50 代は大手コンサルや事業会社にて、生成 AI 特別チームの技術面・エミネンス面を率いて、技術面の理解やノウハウの蓄積に加えて、生成 AI を利用した製品化やサービス化を推進。

第二次ブームであった大学時代に AI への興味を持って以降、ハーバード留学時に MIT にて当時教鞭をふるっていた「AI の父」Marvin Minsky に単位交換制度を利用して学ぶ縁を持つ。研究テーマであったことも含め、AI の研究・開発・事業化と 30 年以上の経験から本書を執筆。

フィンテック協会理事（2016 〜 2020）。クラウド・AI 表現技術検定試験委員（2021 〜現在）。

小泉 信也（こいずみ しんや）

早稲田大学大学院にて工学修士号取得。大手通信会社での大規模ネットワーク構築、クラウド基盤上での Web アプリケーション開発、AI 技術検証など、多岐にわたるプロジェクトでの開発およびマネジメントを経験。その後、デロイト トーマツ コンサルティング合同会社にて、データ分析基盤の構築、AI やパブリックブロックチェーンを活用したアプリケーション開発など多数のプロジェクトを経験。2023 年から生成 AI を活用した業務プロセス改革プロジェクト（アプリ開発）のアーキテクト・チームリードとして従事。現在は、デロイト トーマツ ノード合同会社にて生成 AI 技術チームのリードを務める。著書に、『エンジニアのための Web3 開発入門』（インプレス）など。

久保田 隆至 Ph. D.（くぼた たかし）

2011 年に東京大学大学院にて物理学の博士号を取得。博士課程では欧州原子核研究機構（CERN）にて新型加速器を用いた新粒子探索のための検出器の構築と最初期のデータを用いた物理解析を行う。高エネルギー物理奨励賞（2011 年）、日本物理学会若手奨励賞（2012 年）を受賞。学位取得後、メルボルン大学の研究員として引き続き素粒子物理の研究を行う。2012 年に CERN で発見された Higgs 粒子の研究に貢献するとともに、Australian Research Council より複数の競争的資金を獲得し、自身の研究プロジェクトを推進。2018 年に帰国、複数のプロフェッショナルファームを経て、2021 年にデロイト トーマツ コンサルティング合同会社に入社。現在、生成 AI 特別チームにて LLM の技術検証チームをリード。

大塚 貴行（おおつか たかゆき）

通信キャリアで新規事業開発に従事し、携帯電話向け位置情報サービスや宿泊予約サイトの企画および開発を担当。その後、広告代理店でポイントマーケティング部門を立ち上げ、ポイントクラブサイトの受託運営や自社メディアのアフィリエイトビジネスの拡大に成功。求人広告会社ではメディア戦略部長として、日本最大級の医療・介護求人サイトの新規立ち上げに携わりつつ、非正規労働市場に関する総合研究所で雇用に関するリサーチレポートを多数発信。2022 年からはデロイト トーマツ コンサルティング合同会社の CSIO Office に参加し、人事系コンサルティングサービスの People Analytics 基盤の構築と、生成 AI を活用した業務プロセス改革プロジェクト（アプリ企画）のリードを務める（現職）。

■監修紹介

デロイト トーマツ コンサルティング合同会社について

デロイト トーマツ コンサルティングは国際的なビジネスプロフェッショナルのネットワークであるDeloitte（デロイト）のメンバーで、日本ではデロイト トーマツ グループに属しています。デロイトの一員として日本のコンサルティングサービスを担い、デロイトおよびデロイト トーマツ グループで有する監査・保証業務、リスクアドバイザリー、コンサルティング、ファイナンシャルアドバイザリー、税務・法務などの総合力と国際力を活かし、あらゆる組織・機能に対応したサービスとあらゆるセクターに対応したサービスで、提言と戦略立案から実行まで一貫して支援するファームです。5,000 名超のコンサルタントが、デロイトの各国現地事務所と連携して、世界中のリージョン、エリアに最適なサービスを提供できる体制を有しています。

■スタッフリスト

企画協力・編集・校正	株式会社ツークンフト・ワークス
カバーデザイン	小口翔平＋後藤 司（tobufune）
本文デザイン・DTP	リブロワークス

制作担当デスク	柏倉真理子
デザイン制作室	今津幸弘

副編集長	田淵 豪
編集長	柳沼俊宏

■商品に関する問い合わせ先

このたびは弊社商品をご購入いただきありがとうございます。本書の内容などに関するお問い合わせは、下記のURLまたは二次元バーコードにある問い合わせフォームからお送りください。

https://book.impress.co.jp/info/

上記フォームがご利用いただけない場合のメールでの問い合わせ先
info@impress.co.jp

※お問い合わせの際は、書名、ISBN、お名前、お電話番号、メールアドレス に加えて、「該当するページ」と「具体的なご質問内容」「お使いの動作環境」を必ずご明記ください。なお、本書の範囲を超えるご質問にはお答えできないのでご了承ください。

● 電話やFAX でのご質問には対応しておりません。また、封書でのお問い合わせは回答までに日数をいただく場合があります。あらかじめご了承ください。
● インプレスブックスの本書情報ページ https://book.impress.co.jp/books/1123101128 では、本書のサポート情報や正誤表・訂正情報などを提供しています。あわせてご確認ください。
● 本書の奥付に記載されている初版発行日から3年が経過した場合、もしくは本書で紹介している製品やサービスについて提供会社によるサポートが終了した場合はご質問にお答えできない場合があります。

■落丁・乱丁本などの問い合わせ先
FAX 03-6837-5023
service@impress.co.jp
※古書店で購入された商品はお取り替えできません。

AI ビジネスチャンス
技術動向と事例に学ぶ新たな価値を生成する攻めの戦略（できるビジネス）

2024 年 7 月 21 日 初版発行

著 者	荻野 調、小泉信也、久保田隆至、大塚貴行
監修者	デロイト トーマツ コンサルティング合同会社
発行人	高橋隆志
編集人	藤井貴志
発行所	株式会社インプレス
	〒 101-0051 東京都千代田区神田神保町一丁目 105 番地
	ホームページ https://book.impress.co.jp/
印刷所	株式会社暁印刷